NEWTON FREE LIBRARY

3 1323 00696 7805

11/01

ML

Bag4/01

AHA-8612

P9-CFS-192

LA NUIT DE CALAMA

DU MÊME AUTEUR

Chez le même éditeur

LA GRANDE MURAILLE

UNE FOIS SEPT

MON PÈRE EDMOND MICHELET
Prix des Écrivains combattants 1972

ROCHEFLAME

J'AI CHOISI LA TERRE
Prix des Volcans 1975

CETTE TERRE EST TOUJOURS LA VÔTRE

DES GRIVES AUX LOUPS
Prix Eugène Le Roy 1979
Prix des Libraires 1980

LES PALOMBES NE PASSERONT PLUS

LES PROMESSES DU CIEL ET DE LA TERRE

POUR UN ARPENT DE TERRE

LE GRAND SILLON

L'APPEL DES ENGOULEVENTS

QUATRE SAISONS EN LIMOUSIN
Propos de tables et recettes
avec Bernadette Michelet

Chez d'autres éditeurs

LE SECRET DES INCAS
Coll. Je bouquine, Bayard-Presse

LES CENT PLUS BEAUX CHANTS DE LA TERRE
Le Cherche-Midi éditeur

Claude Michelet

LA NUIT
DE CALAMA

roman

ROBERT LAFFONT

FREN
F/C
M58N
1994

NEWTON FREE LIBRARY
NEWTON, MASS.

Couverture : photo © *Vloo.*

© Éditions Robert Laffont, S.A., Paris, 1994
ISBN 2-221-07748-2

A Christian et Catherine de Villeneuve en souvenir de Calama.

Le courage est une chose qui
s'organise, qui vit et qui meurt, qu'il
faut entretenir comme les fusils.

André Malraux, *L'Espoir*

1

Ne pas penser. Surtout ne pas penser aux minutes à venir, aux quarts d'heure suivants. Ne pas penser aux cliquetis de la serrure, aux grincements des gonds et à ce patio poussiéreux, blanc de soleil, sur lequel ouvrait la lourde porte.

Ne pas penser aux barreaux qui coupaient le ciel bleu de leurs quatre traits gris. Ne pas penser à ces petites étoiles brunes, figées en constellations au milieu des graffitis qui ornaient le plâtre sale des murs.

Ne penser à rien qui se rapportât à cette invraisemblable mais angoissante situation dans laquelle ils étaient. Ne même pas penser aux idées que son camarade québécois, Paul Cartier, devait ruminer, car il suffisait de l'observer pour en deviner la noirceur. Oublier tout et armer son moral, l'affûter, le préparer.

Se durcir; s'entraîner, s'extraire de l'instant présent et forcer son esprit à rejoindre des êtres chers, des parents, des amis, des lieux de calme et de paix :

Josyane, si tendre, David et ses deux ans et demi tout souriant de boucles blondes, les Vialhe, ceux de Saint-Libéral et ceux de Paris. Les rejoindre tous, et puiser auprès d'eux, si solides, la force nécessaire pour affronter ce temps à venir auquel il ne fallait surtout pas penser de crainte d'en avoir peur...

— Hé! t'as l'heure? demanda Paul en grattant bruyamment ses joues noires de barbe.

— Midi moins le quart, dit Christian, mais si tu dois me réclamer l'heure toutes les dix minutes, ça va devenir lassant. Et elle ne passera pas plus vite pour autant!

— Pas ma faute si ces abrutis m'ont cassé ma Cartier! D'accord, c'était une fausse, achetée par lot de six à Mexico, mais quand même! Tu dis midi moins le quart? Bon Dieu, ça va faire vingt-quatre heures qu'on est là! gémit le Canadien. Ah! Nom d'un bleu, si au moins j'avais pu prévenir mon ambassade! Mais tu crois vraiment qu'ils vont nous garder longtemps?

— Va savoir..., dit Christian en haussant les épaules.

Il en voulait un peu à son compagnon d'avoir abordé un sujet qu'il tentait d'oublier. Car il ne servait à rien de ruminer et de ressasser ce qu'ils s'étaient déjà dit si souvent. A savoir qu'ils étaient bel et bien enfermés dans une immonde cellule, que la nourriture était infecte, l'eau saumâtre et la chaleur torride. Quant aux puces et autres punaises, elles étaient d'une voracité stupéfiante.

– Et mon magnétophone, et toutes mes notes, tu crois qu'ils vont nous les rendre ?

– Va savoir..., répéta Christian.

Lui, c'était son matériel photo et ses pellicules qu'on lui avait confisqués, mais, pour l'heure, ce n'était pas cette perte qui le tracassait.

« Mais peut-être que Paul s'accroche à ces simples détails pour éviter de trop réfléchir à notre situation : à chacun son système de défense », pensa-t-il en s'allongeant sur l'un des châlits répugnants qui meublaient la cellule.

Mains sous la nuque en guise d'oreiller, yeux fermés pour ne plus voir la saleté du plafond où s'agglutinaient des nuages de mouches, il essaya, une fois de plus, de fixer son attention sur des souvenirs paisibles, heureux, des bribes d'existence calme, de joyeuses vacances, de rire, d'amour avec Josyane, de paix.

– Dis, c'était une blague, ta réponse de tout à l'heure ? demanda soudain Paul.

– Quelle réponse ? grogna Christian en devinant qu'il allait lui être impossible d'échapper à la conversation, et que celle-ci roulerait très vite sur leur problème, un problème qu'il jugeait malsain de remâcher.

– Qu'ils étaient capables de nous garder quinze jours, ou plus...

– Tu as vu la tronche des trois brutes plus ou moins en uniforme qui nous ont arrêtés hier après-midi ? Quant à l'officier qui nous a interrogés, il a une gueule de petit vicieux. Je serais très étonné que des types qui ont d'aussi authentiques têtes de primates aient le sens de l'humour! Alors pourquoi ne nous garderaient-ils pas quinze jours, ou plus, si ça les amuse?

— Mais, bon sang! Tous nos papiers sont en règle! Nos laissez-passer aussi!

— Eh oui, dit Christian avec un petit ricanement, et c'est bien ce qui m'inquiète... Ils n'avaient aucune raison de nous retenir plus d'une heure, disons même deux, car il ne faut jamais surestimer la rapidité de compréhension des militaires, surtout quand, par malheur, ils sont au pouvoir! Seulement voilà, il va y avoir vingt-quatre heures que nous sommes là, et rien ne bouge. Crois-moi, il y a un os quelque part, il s'est passé un événement qui nous échappe, mais je ne sais pas quoi...

C'était la veille au soir, en observant le regard du jeune capitaine qui les interrogeait, qu'il avait eu la brutale révélation que leur cas était beaucoup plus grave qu'ils ne le croyaient, Paul et lui. Depuis, la peur le taraudait, et plus il réfléchissait, plus il avait la certitude qu'elle était fondée.

— Tu dors? demanda Paul qui avait manifestement envie de poursuivre la conversation.

— Oui, mentit Christian dont la pensée, malgré tous ses efforts, reprenait et analysait une à une leurs péripéties des jours précédents.

« Ce qui me rend furieux, c'est que tout a très bien commencé. D'ailleurs, vu les soins que Paul et moi avons apportés à la préparation de cette enquête, il n'y avait aucune raison pour que les quinze jours que nous comptions consacrer à ce pays ne se déroulent pas au mieux. Forts de l'aura que nous confère le nom de la prestigieuse revue américaine, internationalement connue : *Le Monde chez vous* qui nous a commandé ce reportage, nous nous sommes fait donner toutes les autorisations nécessaires pour circuler dans tout le Chili. Dans ces contrées que j'aurais aimé découvrir en des temps moins troubles, plus conformes à l'idée que j'ai de la liberté et de la démocratie, mais que j'étais quand même heureux de connaître puisque c'est là que mes ancêtres Leyrac ont vécu. Car c'est bien dans ce pays, aujourd'hui étouffé et meurtri par un régime en tout point exécrable, que mes arrière-grands-parents ont débarqué dans les années 1870. C'est ici qu'ils ont trimé, se sont enracinés et ont fait fortune. Là qu'ils ont donné jour à ce grand-père Marcelin Leyrac dont je ne garde qu'un souvenir nébuleux et confus. Aussi est-ce avec beaucoup de joie et d'émotion que je suis entré au Chili, voici quatre jours, en ce 8 novembre 1979.

Auparavant, pour étayer notre reportage : « Paysages et peuples des Andes », Paul et moi avons sillonné une partie du Pérou à la recherche des grands sites incas. Et c'est encore tout ébloui par la découverte du Machu-Picchu, de Písac, de Sacsahuamán et de Cuzco, de l'altiplano et du lac Titicaca que nous avons abordé le Chili, par le nord.

Là, c'est avec bonheur que j'ai découvert le pays. Étrange et accueillant pays dans lequel je me suis aussitôt senti presque chez moi, sur ma terre. Une contrée qui m'a tout de suite séduit, malgré la présence, beaucoup trop visible et pesante, des militaires qui détiennent la totalité du pouvoir et qui ne s'en cachent pas.

Plusieurs fois interpellés mais jamais retenus car nos papiers sont en règle, nous avons visité Arica où flotte encore le souvenir des sanglants combats qui, voici un siècle, ont vu la défaite des Péruviens lors de cette terrible guerre du Pacifique, pratiquement inconnue chez nous.

C'est après avoir loué une Land-Rover que nous avons emprunté la Panamerica et roulé plein sud, vers Iquique et les étendues désertiques mais magnifiques de la pampa de Tamarugal. Ensuite, laissant Antofagasta à notre droite, nous avons piqué en direction de la petite et sordide ville minière de Calama.

Ici, point trace de ce printemps austral qui éclate sur la côte pacifique en fleurissant la ville d'Arica ainsi que les quelques oasis traversées au cours du voyage. Ici, tout est terne, triste, étouffé par une épaisse poussière grise et âcre qu'un vent violent et chaud, se déchaînant, paraît-il, chaque après-midi, soulève en de suffocantes volutes.

— Je serais très étonné que les Incas soient venus se perdre dans cet enfer! a bougonné Paul au soir de notre arrivée. Tu sais, ils n'étaient pas fous, ces gens-

16

là ! Alors, si tu veux mon avis, on va filer dès demain matin vers Santiago, et on ne perdra rien !

— Pas si vite, l'ami, l'ai-je calmé en lui tendant la carte : regarde, nous avons au moins deux sites à voir. La citadelle inca de Lasana et l'oasis de San Pedro de Atacama, sans oublier la vallée de la Lune ! Et encore je te fais grâce du geiser d'El Tatio, il a été mille et une fois photographié par les confrères ; de plus, il paraît qu'il ne crache qu'au lever du soleil, alors...

— Va encore falloir se taper de la piste ! J'ai horreur de la piste, on s'y brise les reins ! a protesté Paul.

Installés dans le patio de notre hôtel — médiocre et peu confortable établissement, très bruyant car placé à un croisement, à hauteur d'un feu rouge, devant lequel grondaient les camions —, nous nous désaltérions d'une bière fraîche en attendant l'heure du dîner. Mais la poussière et la fatigue de la route, auxquelles s'ajoutaient des chambres et des lits peu avenants et des douches aux jets fantaisistes, nous avaient mis d'humeur assez sombre. Perdus dans cette agglomération du bout du monde, perchée à plus de deux mille trois cents mètres d'altitude, qu'encerclait un désert d'une angoissante dureté, nous nous sentions désorientés, mal à l'aise.

— Que ça te plaise ou non, nous sommes quand même là pour au moins deux jours, ai-je prévenu Paul après avoir fait renouveler les consommations. Mais, si tu veux, histoire de faire un peu relâche demain, on se contente d'aller à Lasana le matin et à Chuquicamata l'après-midi. On est bien obligé d'évoquer et de photographier une des mines de cuivre les plus grandes du monde, et à ciel ouvert de surcroît !

— Tu es sûr que les Américains vont apprécier ton humour ? a plaisanté Paul. Je te rappelle que jusqu'en 1971 l'Anaconda Copper Compagny était quasiment une terre américaine en pays chilien...

— Je sais, et ils se sont fait ramasser plus de cinquante et un pour cent des actions quand Allende en a eu marre de leur mainmise. Bon, mais ce n'est pas notre problème. Tu n'es pas obligé de parler de ça dans ton papier. Mais moi, peu m'importe à qui appartient le cuivre qui sort de là, j'ai des photos à faire, un point c'est tout !

— D'accord, mais après-demain soir, l'avion en direction de Santiago, O.K. ?

— Ça marche. En attendant, on va essayer de se nourrir. J'espère surtout que la cuisine est moins mauvaise que mon sommier, mais, vu l'état des lieux, j'ai quelques doutes...

« Santiago ! On devait y être ce soir, calcula Christian en chassant avec agacement les mouches gluantes qui, profitant de son immobilité, cherchaient à se poser sur sa figure. Il essuya son front, couvert de sueur, d'un revers de main et poursuivit sa méditation : Et dire que j'avais promis à Jo de la prévenir dès notre arrivée à Santiago ; heureusement que je ne lui ai donné qu'une date approximative. Mais si j'avais pu téléphoner, en l'appelant vers une heure du

18

matin, grâce au décalage horaire je l'aurais trouvée au saut du lit... », pensa-t-il avec attendrissement, en se remémorant tous les paisibles réveils qu'ils avaient déjà vécus ensemble : Josyane encore tout engourdie de sommeil, toute vaporeuse dans cette robe de chambre très peu décente – mais telle était bien sa raison d'être ! – qu'il lui avait offerte pour son dernier anniversaire, ses vingt-neuf ans. Jo trottinant dans leur appartement de la rue des Plantes et préparant le petit déjeuner de David qui, déjà debout, découvrait les joies du trampoline dans le lit des parents...

Il se redressa soudain en entendant claquer la serrure. C'est debout et prêt à la discussion qu'il accueillit le planton. Par malchance, celui-ci avait l'air encore plus abruti que les précédents. Il déposa sans un mot le plateau sur lequel brinquebalaient un pichet d'eau, une soupière pleine de haricots rouges où se décelaient quelques bribes de viande brune et filandreuse, deux assiettes en fer et deux cuillères.

– On veut voir vos supérieurs, tout de suite ! essaya Paul dans un espagnol mâtiné d'anglais mais relativement compréhensible.

– Te fatigue pas, dit Christian en observant le ragoût où flottaient quelques mouches et trois grosses blattes confites par la cuisson. Il extirpa les insectes un à un, goûta une cuillerée de haricots : Sont bien cuits et ne manquent pas de piments, ah ! les vaches ! Je te sers ? proposa-t-il sans accorder un regard au garde qui refermait déjà la porte sur son dos.

— Quel enfoiré! Il pourrait au moins répondre! protesta Paul, on n'est pas des assassins! Que le bon Dieu les trotte, ces sauvages! Je suis citoyen d'un pays civilisé et je n'ai aucune raison de me laisser maltraiter par ces singes!

— Tu en veux? redemanda Christian en proposant une assiette.

— Non, pas faim, dit Paul avec agacement. Et puis c'est sûrement dégueulasse!

— Moins qu'hier soir, c'est bien cuit. Tu as tort, tu devrais manger, on ne sait pas pour combien de temps nous sommes là; alors tu ferais bien de te nourrir un peu, si tu veux tenir le coup!

— Non, pas faim, redit Paul en attrapant le pichet d'eau. Il but longuement, s'essuya les lèvres d'un revers de main : Cette eau pue la vase, dit-il avec une moue dégoûtée.

— Et elle est sûrement pleine d'amibes..., ajouta Christian.

— Toujours le mot pour rire, toi! dit Paul en s'allongeant sur son châlit.

— Essaie de manger, insista Christian. Tu verras, ce n'est pas mauvais.

— Non, fous-moi la paix! Moi, ce que je veux, c'est sortir d'ici, retrouver mes affaires et foutre le camp. Bon Dieu, je suis sûr qu'ils n'ont pas le droit de nous retenir ici! Ils n'ont pas le droit!

— C'est ça, plaisanta Christian, mais, comme on dit, puisqu'ils n'ont pas le droit, ils prennent le gauche, ce qui est le comble de la perversion pour un régime fasciste!

— Marrant..., ponctua Paul en levant les yeux au ciel.

— Non, pas marrant du tout, approuva Christian, mais le fait est que, avec ou sans le droit pour eux, nous sommes enfermés là comme des ânes, et Dieu sait jusqu'à quand! On aurait dû se méfier, hier...

« Hier... Ni Paul ni moi n'avons d'abord pris très au sérieux l'arrivée des trois bidasses, plutôt mal fagotés et d'une propreté douteuse, qui nous ont encerclés. Installés depuis quelques minutes sur une petite butte qui surplombe une partie de la mine de cuivre de Chuquicamata et les baraquements des ouvriers, j'avais déjà pris une vingtaine de photos; quant à Paul, il dictait ses impressions, la bouche collée au petit magnétophone de poche qui ne le quitte jamais.

— Eh! Tu as vu les trois zèbres qui grimpent vers nous en courant, on dirait qu'ils nous en veulent... Et, crois-moi, ils n'ont pas l'air tendre, ai-je prévenu en les cadrant dans mon téléobjectif.

Les militaires venaient de sortir d'une des casemates qui surveillent l'entrée de la mine et montaient dans notre direction en proférant des phrases que ni Paul ni moi ne pouvions comprendre car le vent emportait tout.

— Et alors? Nos papiers sont en règle et on n'a pas franchi de clôture, ni vu aucune pancarte interdisant d'être ici, a dit Paul, très sûr de lui.

— Tu as raison, mais j'ai quand même l'impression qu'ils vont nous demander de déguerpir, ai-je pronostiqué en replaçant mes appareils dans ma sacoche.

Ensuite, tout a été très vite. Encadrés, insultés, bousculés par les soldats, Paul et moi avons été refoulés vers notre véhicule. Et comme Paul, sûr de son bon droit, tentait de protester, un des militaires l'a poussé d'un coup de crosse. C'est en voulant l'esquiver d'un revers du bras que Paul a brisé sa montre.

— T'as vu ce que tu as fait, tête de lard ! a-t-il hurlé. Ah ! mais tu ne sais pas à qui tu t'attaques, eh patate !

— Tais-toi ! l'ai-je immédiatement prévenu, ces gens-là ne rigolent pas du tout !

Ce n'était pas la première fois dans ma carrière de photographe que je me trouvais confronté à quelques gardes peu ouverts aux palabres. Et je conserve au fond de moi le souvenir des mauvaises peurs qui m'ont déjà noué les viscères lorsque je me suis fait expulser du Cambodge, il y a quelques mois, ou violemment malmené, voici dix ans, lors d'un reportage au Nigeria ; sans oublier d'autres confrontations peu sympathiques avec les forces de l'ordre, aussi bien à Belfast qu'à Soweto... Depuis, je reconnais au premier coup d'œil les sbires de toute race et de tout pays avec qui les discussions sont vaines, les explications inutiles. Ces individus ont tous le même faciès de crétin, le même regard borné. Ils ne sont pas là pour dialoguer, mais pour expulser, arrêter ou cogner. La chance, c'est de tomber sur un solitaire en veine de zèle, car alors une diplomatique proposition de pourboire arrange généralement tout. Mais, dès qu'ils sont plusieurs, la même offre risque de tourner à la catastrophe : ils n'apprécient sans doute pas le partage...

— Surtout tu t'écrases, ai-je recommandé à Paul que je sentais prêt à en découdre. Tu te tais, tu prends le volant et tu nous conduis où ils nous disent d'aller. Tu vois bien qu'ils ne veulent plus nous lâcher, ai-je ajouté en constatant que deux des militaires grimpaient dans notre véhicule.

Quant au troisième, un caporal, c'est en courant qu'il dévalait déjà vers le poste :

— Je te parie que ce type va téléphoner au comité d'accueil. On est mal partis, ai-je prédit.

— Nos papiers sont en règle ! m'a dit Paul en se tournant vers les gardes, puis en leur jetant : Alors, où allons-nous ?

— Voir le sergent, là-bas, à la caserne, au bout de la route, à un kilomètre.

— Eh bien, il va m'entendre, ton sergent, tu peux me croire ! Je vais lui faire payer ma montre au prix fort, moi ! Non, mais sans blague !

— Ferme-la et conduis ! lui ai-je redit car je pressentais déjà quelques complications.

Elles ne faisaient que commencer. Dix minutes plus tard, après une brève et stérile conversation avec le chef de poste qui feignait de ne pas comprendre un mot de ce que nous lui disions, c'est encadrés par

23

deux hommes en armes qu'on nous a ordonné de rejoindre Calama où, nous prévint-on, un officier voulait nous voir. Déjà, je n'aimais pas du tout l'allure et la tête des militaires qui nous suivaient en Jeep ; ils se prenaient très au sérieux, et je les jugeais aussi dangereux que des crotales prêts à mordre.

« Comme le disait je ne sais plus qui : « Quand on a à ce point-là une tête de faux témoin, ça devient de l'honnêteté ! » ai-je tout de suite pensé en observant le petit capitaine qui nous attendait debout derrière son bureau. Très élégant, soigné, encore jeune, il affichait un air faussement contrarié, voire attristé, qui ne trompait pas : il jubilait. Et il était si heureux qu'il s'est empressé de se poser sur le nez une paire de lunettes de soleil à reflets argentés pour dissimuler toute la joie qui pétillait dans son regard. La joie du chat qui vient de briser les reins d'un souriceau, mais qui le pousse de la patte, comme pour l'aider à reprendre sa course. La joie du sadique qui se délecte de la peur qu'il fait naître, de la douleur qu'il crée.

C'est avec une minutie et une lenteur calculées qu'il a pris connaissance de nos passeports, visas et autres laissez-passer étalés devant lui, bien à plat sur le sous-main de cuir fauve.

Mal assis sur les tabourets de bois qu'on nous avait désignés, Paul et moi avons dû attendre son bon vouloir, sans être dupes une seconde de son manège. Il menait un jeu tellement flagrant qu'il en eût été risible en d'autres circonstances. En fait, je suis persuadé qu'il suivait à la lettre, et même à la virgule près, tous les articles du manuel qu'un bon enquêteur doit savoir par cœur avant de mener un interrogatoire : donner aux suspects un sentiment d'infériorité en les faisant inconfortablement asseoir tout en restant soi-même debout pour les dominer ; jouer de leurs nerfs en épluchant leurs papiers avec la plus grande minutie, tout en affichant un doute sur leur authenticité ; attendre le plus longtemps possible avant de poser la première question ; ne jamais répondre aux demandes d'explications ; ne pas hésiter à menacer...

Et le comble, me suis-je surpris à penser, c'est que ça marche ! Nous sommes là comme des moutons à la merci de ce minable, nous connaissons tous ses trucs, exactement comme on connaît le mauvais jeu d'un acteur de troisième ordre dans un quelconque navet télévisé. Eh bien, malgré cela, ça marche ! Ça fonctionne parce que ce type a une sale gueule de tartufe, que nous sommes dans un pays totalitaire et que ce petit salaud qui se délecte de son rôle a toute liberté pour le faire aussi longtemps que ça l'amusera ! Ça marche parce qu'il réussit à nous inquiéter, à nous faire peur. Et ça, il l'a très bien compris.

Il n'est qu'un point qu'il a oublié d'appliquer et c'est étonnant de sa part : nous séparer, nous laisser mijoter en solitaire et nous interroger l'un après l'autre... Dans le fond, il n'est peut-être pas aussi malin qu'il veut le paraître !

— Alors comme ça, vous travaillez pour la revue *Le Monde chez vous*, a-t-il enfin lâché en allumant un fin et odorant cigarillo de tabac noir. C'est une belle revue, une très belle revue américaine... Et vous enquêtez sur quoi ?

— Paysages et peuples des Andes, ai-je dit.

— Beau sujet... Mais alors, expliquez-moi ce que vous faisiez en train de photographier un site militaire ? C'est de l'espionnage, ça !

— Pardon ? Il n'est nulle part indiqué qu'il soit interdit de photographier les mines de cuivre ! ai-je rétorqué en essayant de rester calme et détendu.

— Pas indiqué, peut-être, mais cela va de soi ! Nos gisements de Chuquicamata sont sous la protection de l'armée, il est donc interdit de s'en approcher, comme de tout ce qui relève de l'armée, d'ailleurs !

— Eh bien alors, acceptez nos excuses, prenez et détruisez ma pellicule et n'en parlons plus, ai-je essayé, en me doutant bien qu'une telle proposition n'avait aucune chance d'aboutir, car si tout avait pu se régler aussi simplement nous aurions déjà été libérés !

— Ce serait un peu facile, a souri le capitaine. Non, non, tout n'est pas si simple, croyez-moi... De toute façon, je ne peux rien décider avant d'avoir fait développer vos pellicules.

— Quoi ? Mais presque toutes ont été faites au Pérou ! Vous allez me les saloper et tout sera à refaire ! ai-je protesté.

— Allons, allons, même ici, nous avons de très bons

26

labos photos. Et puis, pendant qu'on étudiera vos clichés, nos services pourront écouter ce que vous avez enregistré sur votre magnétophone...

— Sur mon magnétophone, ça vous fera une belle jambe! a grogné Paul. Vous voulez que je vous dise? Tout cela est ridicule. Vous savez parfaitement que nous n'avons rien fait de répréhensible, que nos papiers sont en règle et que...

— Oh! vous savez, les papiers, c'est si facile à falsifier! Non, non, messieurs, mettez-vous à ma place, je ne peux prendre le risque de laisser partir deux hommes surpris en flagrant délit d'espionnage. Il faut que je vérifie tout ça, papiers compris...

Ce salaud nous amuse, ai-je aussitôt pensé. Cette histoire n'est pour lui qu'un alibi, il cherche autre chose...

— Bon, alors voulez-vous au moins nous laisser téléphoner à nos ambassades? lui ai-je proposé.

— Chaque chose en son temps, a-t-il dit en se replongeant dans la lecture des papiers toujours étalés devant lui. Puis il a regardé Paul : Donc, vous vous appelez Paul Cartier, né à Québec le 10 octobre 1940...

— Oui! Et moi aussi, j'exige de pouvoir prévenir mon ambassade, et tout de suite!

— Monsieur, pour pouvoir exiger, il faut en avoir les moyens. Vous vous êtes mis dans un très mauvais cas, et n'avez donc rien à exiger! Et vous, vous vous appelez Christian Leyrac, c'est ça? C'est bien ça, Leyrac? a-t-il insisté en compulsant un classeur ouvert devant lui.

— Leyrac, oui.

— C'est bien ce que je pensais... Christian Leyrac, prétendument né le 24 octobre 1942 à Paris, France...

— Pourquoi prétendument ? C'est facile à vérifier, non ? Je vous dis de téléphoner à mon ambassade à Santiago, 65, avenue Condell !

— Je sais, je sais...

— Et moi, c'est 11, avenue Ahumada ! a renchéri Paul.

— Le problème n'est pas là...

— Alors où est-il ? ai-je insisté.

— Vous devriez être le dernier à me demander ça, monsieur Leyrac... Christian, n'est-ce pas ?

— Oui, pourquoi ?

— Comme ça, une idée... Bon, messieurs, l'heure tourne et votre cas va me donner beaucoup de travail de vérification, a-t-il dit après avoir jeté un coup d'œil à sa montre. Nous reprendrons cette conversation plus tard... Demain, peut-être...

— Mais, bon Dieu ! Vous n'allez pas nous retenir jusqu'à demain ! a protesté Paul en se levant d'un bond. C'est absolument ridicule ! a-t-il ajouté en frappant le bureau de son poing fermé.

— Ce qui est ridicule, monsieur Cartier, c'est votre attitude. Votre cas est loin d'être clair ; quant à celui de votre compagnon... ou bien dois-je dire complice ?

— Mais qu'est-ce que vous racontez ? ai-je lancé en me levant à mon tour.

— Rien que je ne sache ! Ou plutôt que nous ne

sachions, et depuis longtemps... Vous voulez que je vous dise, messieurs ? Vous avez eu tort de venir chez nous. Tort de venir nous narguer. Le Chili est un grand pays, moderne, solide. Un pays qui n'a que faire avec les admirateurs et propagandistes d'individus aussi malfaisants que Che Guevara ou Castro, pour ne citer que ces deux voyous... Vous avez eu tort de venir, a-t-il répété en enlevant ses lunettes.

Il nous a longuement regardés, puis il a appelé la sentinelle et s'est désintéressé de notre sort. »

2

« On a peut-être eu tort de venir, comme a dit
l'autre blanc-bec, mais je ne me serais jamais pardonné de laisser passer cette occasion », pensa Christian en observant le nuage de mouches qui vrombis-
sait au-dessus de sa tête.

Pour lui, ce voyage au Chili, c'était presque la
conclusion de cette longue enquête qu'il avait entre-
prise depuis plus d'un an. Depuis ce jour où, contemplant son fils David, âgé de neuf mois, qui gazouillait
dans son berceau, il avait soudain réalisé tout ce qui
manquerait un jour à l'enfant : des racines, un passé
familial, des ancêtres. Certes, du côté de sa mère, il
disposait d'une très longue lignée d'aïeux, toute une
série de Pierre-Édouard, Jean-Édouard et autres
Édouard-Benjamin Vialhe qui avaient marqué la vie
de la famille et même de la commune de Saint-
Libéral. Mais David s'appelait Leyrac et, dans cette
branche, c'était le néant, le vide et l'impossibilité,
même pour lui, Christian, d'évoquer l'existence de
son propre père ! Or, il le devinait, un jour David

voudrait savoir, voudrait connaître. Il en aurait besoin, et il en avait le droit. Mais que lui dire ? « Ton grand-père Leyrac est mort à Dachau en juillet 1944, j'avais vingt-deux mois, je n'en sais pas plus... »

Non, impossible de lui offrir un si piètre passé. Impossible de lui répondre un jour ce que sa mère lui avait répété pendant des années : « Ton père a voulu faire de la résistance et il en est mort... » C'était si sec, si peu exaltant, qu'il avait cessé de poser des questions vers l'âge de quatorze ans car même son beau-père – homme sympathique et bon, au demeurant – avait tout de suite adopté et fait sienne cette sèche explication : « Ton père a voulu faire de la résistance et il en est mort... »

C'est vers cette époque qu'il s'était alors promis de rechercher toutes ces traces qu'on semblait vouloir lui faire perdre. Mais, le temps et la vie aidant, il avait peu à peu senti faiblir ce besoin de savoir. Tout au plus, parfois, se disait-il : « Tiens, il faudrait quand même que je me décide à en apprendre un peu plus... », mais ça n'allait pas plus loin.

Jusqu'à ce jour où, penché vers son fils, il avait réalisé la profondeur de ce vide qui s'ouvrait dans son passé direct. Lui était alors revenue en mémoire une des phrases que le vieux Pierre-Édouard, le grand-père de Josyane, lui avait lancée lors du premier repas qu'il prenait dans la famille Vialhe, cette famille si chargée, si lourde aussi parfois, mais quand même si riche d'un passé que tous connaissaient, se partageaient, se transmettaient.

Et même Jo qui avait pourtant et – ô combien! – fait preuve d'indépendance vis-à-vis de cette sorte de tribu que formaient les Vialhe, même elle connaissait sur le bout des doigts l'histoire et la vie de ses ascendants.

Car c'est bien ce que lui avait dit son grand-père : « C'est important de savoir d'où on vient, ça donne des racines. Et les racines, ça permet de bien résister! » Avant d'ajouter une phrase que Christian avait mal interprétée : « Et ça permet aussi de se tenir fier! »

Il avait d'abord pensé que tout cela était un peu outrecuidant, que la fierté avait certes du bon, mais qu'il ne fallait quand même pas en abuser, sous peine de passer pour l'individu le plus prétentieux de la création! C'est Jo qui avait éclairé sa lanterne, dans un de ses habituels rires en cascade :

– Tu n'as rien compris! Fier, chez nous et employé comme le fait grand-père, ça ne signifie pas orgueilleux, comme tu le penses! Tu es bien parisien, va! Fier, chez nous, ça veut dire solide, en bonne santé, morale et physique, debout comme un chêne, en pleine forme, fier, quoi! Note bien, si l'on dit de quelqu'un qu'il fait le fier, c'est ton explication qui est la bonne. Mais si on te lance : « Tiens-toi fier! », cela veut dire : « Je t'aime bien, continue à prendre soin de toi, sois solide! » Voilà ce que voulait te dire grand-père!

C'est ainsi que Christian s'était engagé sur la piste de ses ancêtres, sur les pas de ces hommes et de ces

32

femmes dont il voulait un jour pouvoir parler à son fils.

« C'est après avoir demandé l'aide des notaires de Brive en leur fournissant les très rares indications que ma mère m'a jadis données – je sais ainsi qu'un de mes arrière-grands-pères était natif d'une ferme située au sud de Brive – que j'ai enfin pu trouver le premier maillon de la famille Leyrac. J'espérais alors qu'il me permettrait de découvrir tous ces aïeux que je voulais connaître. Jusque-là, ils n'étaient que des fantômes, je voulais en faire des parents.

Et c'est ce que j'ai expliqué à Jo, un jour de juillet 1978, en lui tendant la lettre que venait de me remettre le facteur.

– Voilà, j'ai enfin une réponse d'un des notaires de Brive, ça aura mis le temps, mais cette fois j'ai quelques renseignements. Demain, on confie David à tes parents et on part en chasse!

Le soir même, assis sous la tonnelle qui rafraîchit si bien la maison, je me suis un peu plus longuement expliqué, conscient que Jo ne comprenait pas très bien ma démarche.

C'était un de ces soirs d'été somptueux et lumineux où le jour n'en finit pas de mourir en une apothéose de teintes aux mouvances si chatoyantes et profondes que les étoiles elles-mêmes semblent hésiter à percer. Pendant la journée, malgré la canicule, Jo et moi avions fini de tapisser la dernière chambre

33

de la maison que nous avons acquise en 1977, sise aux Fonts-Perdus, non loin du plateau où s'étale la propriété des Vialhe. Désormais, grâce aux travaux de réfection, aux aménagements et améliorations, nous possédons, en pleine nature, une sympathique, solide et confortable maison de vacances. Il faut, à pied, une petite demi-heure pour rejoindre Saint-Libéral et, en coupant à travers le plateau, guère plus pour nous rendre à Coste-Roche, chez Jacques et Michèle, l'oncle et la tante de Jo. Enfin, et c'est ce qui a fini de nous séduire au moment du choix, on aperçoit, par la fenêtre de notre chambre, le bois de pins qui borde la pièce dite « Aux lettres de Léon », où Jo et moi, pour la première fois, un soir de septembre 1976... Il faisait si beau, et Jo était si belle et amoureuse !

— Oui, demain, on va essayer d'aller voir à quoi ressemble la ferme de mon arrière-grand-père, si toutefois elle existe encore.

— Tu ne crains pas d'être déçu ? m'a demandé Jo.

— Peut-être, mais ça ne fait rien, au moins je saurai, c'est toujours mieux que le néant.

— Et si tu ne trouves rien ?

— Je chercherai ailleurs. Je n'ai pas écrit qu'à quelques notaires de Brive. J'ai aussi prospecté du côté de Bordeaux. C'est là qu'a vécu et est mort mon grand-père Marcelin. Oui, je t'en ai déjà parlé, c'est celui qui a quitté le Chili en 1914 pour venir faire la guerre, et qui est resté ensuite en France.

— Et si ça ne donne rien non plus ?

— Je chercherai encore.

– Pourquoi ?

– Pour David. Je veux, moi aussi, lui donner une famille; pour l'instant, il n'a que la tienne.

– Tu es sûr que ce n'est pas aussi pour toi que tu cherches ?

– Et pourquoi pas ? dis-je en la serrant un peu contre moi. Mais tu as raison, moi aussi je veux savoir. Je crois même que j'en ai besoin. Mais ça, c'est un peu votre faute, à vous, les Vialhe.

– Comment ça ?

– C'est à votre contact que j'ai mesuré ce qui me manque, toute cette connaissance du passé, toutes ces racines, tous ces souvenirs de famille. Tout ce que vous vous transmettez de génération en génération, comme les terres Vialhe. Et même elles, vous vous êtes arrangés pour leur donner des noms incompréhensibles pour les non-initiés : Terre de la Rencontre... Chez Mathilde... Aux lettres de Léon... Moi, au milieu de tout ça, je me sens un peu perdu, seul. Voilà pourquoi je veux savoir qui était mon père et, pourquoi pas aussi, qui étaient mes grands-parents. Oui, je veux savoir qui ils étaient, tous, ce qu'ils faisaient, le savoir vraiment !

– Même au risque d'être déçu ?

– Oui, même à ce risque. Et puis, pourquoi serais-je déçu ?

*

– Tu dors ?

Christian faillit ne pas répondre et faire semblant

35

d'être plongé dans une épaisse sieste, mais comme il devait passer son temps à chasser les mouches qui voulaient se poser sur sa figure et qu'un sommeil, même feint, allait le condamner à l'immobilité, donc au supplice des mouches, il préféra répondre.

— Non, tu vois bien.

— Quelle heure est-il ?

— Oh! dis, c'est une maladie maintenant! protesta Christian qui regarda néanmoins sa montre et lança : Pas tout à fait une heure!

— Et l'autre salaud qui nous laisse crever ici!

— On ne le verra pas avant la fin de la sieste, pronostiqua Christian en quittant son châlit. Il prit le pichet d'eau, but quelques gorgées et fit la grimace : Ma parole, en souvenir de cette lavasse pourrie qu'ils nous obligent à boire, je te paie un magnum de champagne dès qu'on est dehors! promit-il en repartant s'allonger.

— Quand on sera dehors... Oui, mais quand ?

— Ah ça! soupira Christian. Bon, cette fois, je vais essayer de dormir un peu, alors ne me réveille pas pour avoir l'heure, je n'apprécierais pas!

Il n'avait pas sommeil, mais aucune envie non plus de poursuivre une conversation trop pessimiste, voire désespérante. Car ce qu'il redoutait était en train de se passer. Sans que ni Paul ni lui en soient responsables — du moins consciemment —, on était sûrement en train de les charger de tout un tas de fautes. Et le petit capitaine, vicieux comme il semblait l'être, n'était sans doute pas en train de faire la sieste, mais plutôt de mitonner un rapport qui allait les charger au maximum. Ce jeune gandin, à la moue hautaine, devait vouloir de l'avancement, et arrêter deux espions, ou présumés tels, était bon pour les galons...

Mais je ne vais pas me laisser saper le moral, décida Christian, en mettant toute son énergie à retrouver ses souvenirs et ce jour de juillet 1978, premier de son enquête.

*

« Cerné par les noyers et les petits chênes du causse où chantaient les cigales, le village dormait sous le soleil de juillet. La chaleur était suffocante. Groupées à l'ombre brûlante des murettes de pierres blanches qui entouraient les champs, des brebis, tête baissée, haletaient doucement en frémissant sans cesse pour se débarrasser des tourbillonnants nuages de mouches qui les agaçaient.

— Bon, nous voilà au Peuch, dis-je en arrêtant la voiture à l'ombre d'une grange d'où s'échappait un lourd parfum de sainfoin chaud.

J'ai consulté la carte, puis le plan cadastral, mais sans y découvrir ce que je cherchais.

— J'espère qu'on va trouver quelqu'un pour nous renseigner, a dit Jo en regardant autour d'elle dans l'espoir d'apercevoir un habitant.

— Souhaitons-le, car même avec la carte ce n'est pas très net. Et je n'ai toujours pas vu la route qui est censée nous conduire aux Fonts-Miallet.

37

— Tiens, là-bas, indiqua soudain Jo, il y a quelqu'un assis sous la tonnelle; tu veux que j'aille demander le chemin?

— Allons-y en voiture, il fait tellement chaud! ai-je décidé en démarrant.

— Vous dites les Fonts-Miallet? insista peu après la vieille dame que nous venions d'interroger.

— Oui, lui ai-je expliqué, les Fonts-Miallet, c'était jadis une propriété qui appartenait aux Leyrac. Antoine Leyrac, ou Marcelin Leyrac, ça ne vous dit rien?

— J'ai jamais entendu parler. Faut dire que je ne suis pas native d'ici, mais de Chasteaux. N'empêche, je me suis installée ici le jour de mon mariage, en 1930, et je n'en suis plus partie, c'est dire! Ah! si mon pauvre mari était encore là, sûr qu'il vous aurait renseignés, lui... Mais allez donc demander au père Bordas, là-bas, c'est la dernière ferme à la sortie du village, juste après les trois maisons neuves. Lui, il saura peut-être, sa belle-famille est d'ici depuis toujours, alors!

— Vous cherchez quoi? nous demanda le vieillard installé dans un fauteuil de rotin sous l'ombre épaisse d'un tilleul.

Il semblait un peu inquiet et nous regardait avec beaucoup de circonspection.

— Je cherche un lieu-dit les Fonts-Miallet.

— Les Fonts-Miallet? Connais pas. Mais vous êtes du cadastre ou quoi? questionna-t-il en lorgnant sur le plan et la carte avec lesquels s'éventait Jo.

– Non, pourquoi ?

– Oh ! parce qu'avec ceux-là, quand ils se déplacent, c'est toujours pour des impôts en plus, ou pour des couillonnades de remembrement, alors...

– Nous ne sommes pas du cadastre, intervint Jo, mon mari recherche la maison de ses ancêtres, c'est tout !

– Ouais, on dit ça, on dit ça..., marmonna le vieillard en la détaillant sans vergogne. Quoique, pas trop habillée comme vous êtes..., ajouta-t-il.

Elle était en chemisette et en short, ce qui, aux yeux du vieil homme, était sans doute rassurant, son hâle et sa tenue ne correspondant pas à l'idée qu'il se faisait des enquêteurs du cadastre.

– Et comment il s'appelait, votre ancêtre ?

– Leyrac, Antoine Leyrac, et aussi Marcelin Leyrac, dis-je, en estimant que notre interlocuteur avait sûrement plus de quatre-vingts ans et qu'il était donc bien placé pour nous renseigner, si toutefois il n'avait pas perdu la mémoire.

– Hein ? fit-il après quelques instants de méditation, Leyrac ? Leyrac, vous dites ? Si j'ai entendu parler ? Ah ! miladiou, oui, alors ! Leyrac ! Pardi !

Il était soudain si tremblant et ému que son état m'inquiéta et que j'ai presque regretté ma question.

– Leyrac ! redit-il en glissant la main sous son béret crasseux pour mieux se gratter le crâne. Leyrac, c'est bien ça, c'était l'Américain ! Alors c'était votre ancêtre ? Ça par exemple ! Mais alors, vous venez des Amériques, vous aussi ?

— Non, pas du tout, de Paris; mais dites, vous l'avez connu?

J'étais soudain très ému, très touché d'être en face d'un témoin qui allait pouvoir me parler de mon aïeul. Mis à part ma mère, et le peu qu'elle m'avait dit sur lui, c'était la première fois que je rencontrais quelqu'un capable de m'éclairer sur son compte. Grâce à ce vieillard, le mythe allait devenir réalité.

— Vous l'avez connu? insistai-je.

— Moi? Miladiou, non! C'est mon pauvre beau-père qui l'a connu, murmura-t-il. Pensez, l'Américain lui avait donné ses terres à travailler. Oh! c'était pas grand, mais mon beau-père en était content, d'après ce qu'il m'en a dit...

— Et vous savez ce que c'est devenu?

— Quoi?

— Les Fonts-Miallet, la propriété?

— Pourquoi vous appelez ça les Fonts-Miallet?

— Mais parce que c'est le nom qui figure sur les actes notariés et sur le cadastre!

— Peut-être, mais nous, ici, on a toujours dit « Chez Louriquin ». Moi, je suis arrivé ici en 23, pour mon mariage, et on disait déjà « Chez Louriquin ». Mais alors ça appartenait aux Lacoste.

— Ça, je sais, dis-je en compulsant mes notes, la vente remonte au 10 avril 1920. C'est grâce à elle que le notaire de Brive m'a envoyé ici. Et c'est mon grand-père Marcelin qui a vendu...

— C'est bien ça, c'est bien comme disait mon pauvre beau-père, c'est le fils de l'Américain qui a vendu dans ces années-là.

– Donc la trace se perd ici, dis-je en me tournant vers Jo. Tu vois, j'avais trop espéré... Et personne ne peut rien me dire de plus ? demandai-je au vieillard, personne n'a souvenir de mon grand-père Marcelin ?

– Ben, je crois pas. Si ma pauvre femme vivait encore, peut-être qu'elle vous aurait plus causé que moi, mais là...

– Et dans le pays ?

– Bah ! dans le pays y'a plus que des étrangers de la ville ! Ça te vient de Brive, et même de plus loin ! Vous avez pas vu toutes ces maisons neuves ? Et même les vieilles, ces fadas les rachètent pour les vacances ! Et les derniers paysans qui restent sont bien trop jeunes pour connaître votre histoire ! Moi, je suis le plus vieux, alors !

– Et mon arrière-grand-père, comment était-il ?

– L'Américain ? L'ai pas connu, je vous dis. Mais mon pauvre beau-père le tenait pour un brave homme, pas fier et tout, quoi... Surtout pour quelqu'un qui venait d'aussi loin et qui était si riche !

– Ah bon ?

– Miladiou, oui ! Je pense bien qu'il était riche ! Si vous allez jusque Chez Louriquin, vous verrez la belle maison qu'il avait fait construire, et avec un beau parc autour ! Aujourd'hui, c'est des Parisiens qui sont là, des industriels. Ils ont acheté, ça fait tout de suite dans les dix ans, les héritiers des Lacoste pouvaient plus la tenir ; c'est trop grand, une maison pareille ; ça fait trop de sous pour l'entretien, et je te parle pas des impôts !

— Et par où y va-t-on ? ai-je demandé, à la fois déçu de voir ma piste s'arrêter là, mais aussi très ému à l'idée de connaître enfin le berceau de la famille Leyrac.

— Vous allez-en par là, tout droit, fit le vieillard, et, juste après cette luzernière, vous prenez le chemin de terre à gauche. L'est pas bien fameux en hiver, mais en cette saison et avec cette trop de chaleur, sûr que vous « goyerez » pas ! C'est tout droit au bout du plateau. Oh ! ça fait bien presque deux kilomètres d'ici. Ou alors, vous avez l'autre chemin, par-derrière vous. L'avez pas vu en venant ?

— C'est-à-dire qu'on en a vu plusieurs... Maintenant, on va vous laisser. Et merci pour tout !

— Et pouvez pas vous tromper ! nous lança-t-il alors que nous nous éloignions, y'a qu'une maison, et une belle ! Et on la repère de loin à cause du gros pin parasol qui est dans la cour. Un bel arbre, sûr qu'il est pas loin de ses deux cents ans...

— Alors c'est ça, la maison Leyrac ? dis-je en armant mon Leica.

J'avais arrêté la voiture devant le grand portail blanc ouvert sur le parc où jouaient trois enfants. Un peu plus loin, au bout de l'allée de sycomores et de chênes rouges, se dressait une bâtisse en pierre de taille et toit d'ardoise. Grande, flanquée d'une aile qui lui donnait l'allure d'un petit castel, elle devait posséder dans les quinze pièces. Devant elle, trônant au centre de la pelouse, un énorme pin parasol jetait une tache bleuâtre au milieu du vert argenté des chênes du causse.

— Le vieux de tout à l'heure ne se trompait pas, ton ancêtre avait les moyens! dit Jo, admirative.

— Tu crois qu'on peut entrer?

— C'est un peu gênant, non? C'est privé... Moi, à la place des habitants, je n'apprécierais pas beaucoup...

— Tu as raison. Et puis, à quoi bon! Si les propriétaires ne sont là que depuis dix ans, ce n'est pas auprès d'eux que je trouverai des renseignements.

J'ai longé la clôture de grillage qui ferme le parc, fait quelques photos. Jo a dû me voir un peu indécis, déçu aussi.

— Qu'espérais-tu vraiment? demanda-t-elle.

— Si je le savais..., dis-je en revenant vers la voiture.

J'y ai pris un autre appareil, un grand angle, et refait quelques photos.

— Dans le fond, j'attendais trop de ce pèlerinage, ai-je fini par avouer. Enfin, je suis quand même content de connaître les Fonts-Miallet. Mais pourquoi diable l'autre vieux baptise-t-il ce coin « Chez Louriquin »?

— Il te manque un peu de patois corrézien pour comprendre, a souri Jo. Je n'en connais pas beaucoup, mais suffisamment quand même pour te dire que ça a dû commencer, il y a un siècle, par : « Chaz lous Américains », chez les Américains. Et puis, petit à petit, ça s'est contracté, émoussé, surtout quand ton grand-père a vendu et a quitté le pays. Aujourd'hui c'est « Chez Louriquin »; dans vingt ans, ce sera peut-être chez les Parisiens!

– Tu m'en diras tant!

J'ai jeté un dernier regard à la maison et suis remonté en voiture.

– Oui, tu as sûrement raison, dis-je, mais pour David, les photos que je vais tirer seront celles des Fonts-Miallet de la famille Leyrac. Et, quitte à broder un brin, j'irai même jusqu'à lui dire que le pin parasol a été planté là par un de ses ancêtres. Dans le fond, vu sa taille, ça n'a rien d'impossible...

*

– Ainsi donc, vous vous appelez bien Leyrac, Christian, né à Paris le 24 octobre 1942? insista le jeune capitaine en croisant les mains sous son menton.

Contrairement à l'interrogatoire de la veille, il s'était cette fois assis derrière son bureau où, parfois, il prenait les papiers de Christian, les examinait, puis les reposait avec une moue dubitative.

– C'est la troisième fois depuis dix minutes que vous me demandez ça, et la troisième fois que je vous réponds oui, dit Christian en s'efforçant de garder un ton et un air détendus.

Il ne voulait surtout pas laisser voir l'inquiétude qui lui nouait l'estomac depuis qu'une sentinelle était

44

venue le chercher dans la cellule, un quart d'heure plus tôt.

Rien ne se passait comme la veille. D'abord, fait essentiel et lourd de sens, il était seul en face de l'officier puisque Paul, malgré ses véhémentes protestations, avait été repoussé dans la geôle lorsqu'il avait voulu sortir lui aussi. Ensuite, la voix du capitaine et ses intonations n'étaient plus les mêmes. Doucereuses et persuasives, la veille, elles étaient maintenant sèches, dures, menaçantes souvent. Et le pire était que Christian comprenait de moins en moins les raisons de son arrestation. Quoi qu'il fasse pour les traduire, certaines allusions du capitaine lui échappaient complètement. Or il était évident que ses réponses déplaisaient beaucoup à son interrogateur. Celui-ci attendait manifestement autre chose, et tout prouvait qu'il ne désespérait pas d'entendre ce qu'il voulait savoir.

— Vos photos sont très bonnes, dit le capitaine, nos services sont en train de les examiner de près.

— J'espère que vous n'avez pas saboté mes pellicules, c'est tout mon reportage qui est en jeu !

— Sans doute, sans doute... Quant à ce que votre camarade a dicté à son magnétophone, cela paraît assez anodin, à première audition... Et cette jeune et jolie personne, qui est-ce ? demanda l'officier, en prenant deux épreuves parmi les papiers étalés devant lui et en les posant devant Christian.

Celui-ci se retint pour ne pas bondir, réussit même à sourire et prit les clichés qu'il contempla, ému. Ils représentaient Josyane. L'un d'eux, presque son préféré, était la première photo qu'il avait faite d'elle lorsque, trois ans plus tôt, et après avoir perdu de vue la jeune femme pendant huit mois, il l'avait retrouvée à Paris dans le salon de couture de la maison Claire Diamond que gérait sa sœur Chantal. Jo, en blue-jean effrangé et tee-shirt élimé, était magnifique de simplicité au milieu de ce salon, très snob, où s'apercevaient des toilettes à ruiner un honnête homme.

L'autre, beaucoup plus intime, très beau aussi car obtenu avec tout le savoir-faire professionnel dont il était capable, proposait la silhouette élancée de Jo, se découpant sur un soleil couchant dont les ultimes flammes cernaient d'or les sommets des puys Blanc et Caput, là-bas, si loin, à Saint-Libéral.

— Ça, c'est ma femme, dit-il un peu sèchement, en glissant les photos dans la poche de sa chemise.

— Allons, allons, reposez ça sur la table, ça fait partie de votre dossier !

— Mais, bon Dieu ! Je vous dis que c'est ma femme ! Vous avez pris ces photos dans mon portefeuille, elles n'ont rien à voir avec mon reportage !

— Sur la table ! ordonna le capitaine, et ne m'obligez pas à vous y contraindre par la force !

Dents serrées, furieux, Christian s'exécuta.

« Et dire que ce petit salaud, cette ordure, va se rincer l'œil avec Jo ! » pensa-t-il.

Elle était si belle, cette deuxième photo, si nette, si intime surtout ! Prise dans le petit pré qui s'étendait derrière leur maison, elle représentait la jeune femme

nue, de profil, bras en couronne et mains croisées
derrière la tête. Légèrement déhanchée, elle offrait,
sur un ciel déjà bleu sombre, son visage et son corps
frangés d'or ; magnifiques, émouvants, si nets et si
détaillés par le contre-jour que se détachaient la fine
touche des cils, la turgescence d'un mamelon et les
douces frisures du pubis.

— Très belles photos, dit le capitaine en les repre-
nant. Il les contempla longuement, hocha la tête et
sourit : Et très belle femme aussi..., n'est-ce pas ?

« Surtout ne pas répondre, pensa Christian, cette
raclure n'attend que ça. Ne pas entrer dans son jeu,
me taire, quoi qu'il dise sur ce sujet. »

— Vous savez, la réputation des Françaises vient
jusqu'ici... On assure que ce sont d'excellentes... par-
tenaires, très actives, très douées, pleines d'initiatives,
même, n'est-ce pas ? insista le capitaine.

« Ne pas répondre, me taire, pensa Christian. Ou
plutôt si ! décida-t-il soudain, et qu'il aille se faire
foutre, ce fumier ! »

— Bah, je suis certain que les Chiliennes les valent,
le tout est de savoir si les Chiliens sont à la hauteur,
et ça..., lança-t-il en s'efforçant de sourire.

— Amusant..., concéda le capitaine. Et lui, qui est-
ce ? demanda-t-il en prenant une autre photo.

— Mon fils, le jour de son premier anniversaire,
dit Christian, cœur serré en regardant David, tout
souriant, menotte tendue vers l'objectif.

— Un bel enfant, une très belle femme. Si, si, très
belle, vous êtes comblé ! ironisa l'officier en allumant

un cigarillo. Cela étant, poursuivit-il, vous me posez quand même beaucoup de problèmes, monsieur Leyrac, beaucoup de gros problèmes... Ah! si encore vous vous appeliez Cartier, comme votre camarade! Ce ne serait pas une preuve d'innocence, tant s'en faut, mais quand même... Parce que Leyrac, vous savez...

— Oh, merde à la fin! Envoyez la couleur! lança Christian, qu'est-ce qu'il a, mon nom?

— Il a qu'un certain Ignacio Leyrac et un certain Pascual Leyrac, tous les deux citoyens chiliens, sont recherchés depuis des années par nos services. Recherchés pour atteinte à la sûreté de l'État. Ce sont, l'un et l'autre, de dangereux activistes. On les croyait réfugiés chez vous, en France. On sait que vous ouvrez vos frontières à n'importe qui, et surtout à tous les marxistes du monde! Oui, nous pensions qu'Ignacio et Pascual Leyrac se prélassaient chez vous, et à vos frais. Et puis voilà que vous débarquez, comme si de rien n'était. Vous arrivez et on vous surprend en train de photographier un site interdit, comme le prouve l'abondance des troupes qui le protègent... Alors, vous comprenez qu'on puisse se poser quelques questions à votre sujet. Parce que, après tout, qu'est-ce qui nous prouve que votre prénom est bien Christian? Vous êtes sûr que ce n'est pas Ignacio? ou Pascual?

3

— Alors? demanda Paul en se dressant sur sa paillasse dès que Christian entra dans la cellule.

Christian le regarda sans rien dire, puis porta son attention sur les murs gris, couverts de graffitis, d'appels au secours, d'insultes et surtout de toutes ces petites étoiles brunes aussi parlantes et inquiétantes que des cris. Il s'ébroua enfin, comme un nageur épuisé se hissant sur la berge, et s'assit au bord de la table de fer boulonnée au sol.

— Alors? redit Paul en se levant, explique-toi, quoi!

Christian nota à quel point son camarade était mal rasé, ébouriffé, sale, et se demanda s'il offrait le même pitoyable aspect.

« Il n'y a aucune raison pour que j'aie l'air plus frais! » estima-t-il en se passant la main sur les joues. Sa barbe crissa et il fronça les narines car ses doigts empestaient la crasse et la sueur.

— Tout cela fait partie du plan de cette petite

ordure de capitaine, murmura-t-il, mais il ne faut pas tomber dans son jeu.

— Qu'est-ce que tu marmonnes? Je n'ai rien compris, dit Paul.

— Ils t'ont interrogé, toi aussi?

— Ben, non! Justement! C'est pour ça que j'aimerais que tu m'expliques. Ça fait plus d'une heure que tu es parti, enfin à vue de nez!

— Une heure? Tant que ça? s'étonna Christian. C'est une histoire de fou, dit-il tout à trac, de fou! Ça ne résiste pas une seconde à l'analyse, et pourtant...

— Dis, sois cohérent, je ne comprends rien, moi! protesta Paul.

— Une histoire de fou! répéta Christian, puis il raconta toute son entrevue aussi fidèlement qu'il le put. Il omit simplement de parler des photos de Josyane et de David avec lesquelles le capitaine avait tenté de le déstabiliser. Il savait que son compagnon avait eu des problèmes avec sa femme, il ignorait de quoi il s'agissait, ne tenait pas à l'apprendre et préférait donc ne pas aborder le sujet en évoquant sa propre épouse.

— Qu'est-ce que tu dis? souffla Paul lorsqu'il se tut, ils recherchent deux Leyrac? C'est ça? Leyrac, comme toi?

— Oui.

— Mais? Mais..., bégaya Paul estomaqué, ça ne résiste pas à la plus petite investigation, à la moindre enquête sérieuse! Ils n'ont qu'à téléphoner à ton ambassade, ou même à notre journal, et l'affaire est réglée!

— Bien sûr, soupira Christian, mais je ne suis pas certain qu'ils aient envie de le faire, du moins aussi vite que nous le souhaitons...

— Quoi ? Mais c'est aussi idiot que si on arrêtait, je ne sais pas, moi, tous les Martin de France sous prétexte qu'un Martin est recherché !

— Pas si simple, il y a beaucoup de Martin en France, beaucoup. Mais suppose qu'il n'y ait que deux Leyrac dans tout le Chili, et que je sois le troisième...

— Bon Dieu, tu rigoles en disant ça ? Tu rigoles, hein ?

— Si tu crois que c'est le moment ! dit Christian en haussant les épaules. Non, je ne rigole pas du tout. Tu sais, ça fait un choc d'apprendre ce que m'a dit l'autre petite frappe galonnée. En venant ici, au Chili, j'étais ravi, heureux de découvrir enfin la terre où vécurent mes ancêtres. Car il y a eu des Leyrac au Chili, je le sais. Ce que j'ignorais, c'est qu'il en restait. Oui, si ça se trouve, ajouta-t-il avec amertume, il y a de fortes chances que ce soient mes cousins ! Tu parles de retrouvailles !

— C'est pas possible tout ça, s'entêta Paul, ils vont vérifier ! Ils ne peuvent pas faire autrement ! D'ailleurs tu te prénommes Christian et non je ne sais quoi !

— Ignacio et Pascual... Vrai, ils me la copieront, ceux-là !

— Ah ça ! Tu parles d'une embuscade !

— Tu ne crois pas si bien dire, approuva Christian.

Plus il y pensait, et le fait d'en parler avec Paul lui permettait d'ordonner ses idées, plus il en arrivait à la conclusion que le hasard, ou la malchance, n'étaient pour rien dans leur arrestation. Car si deux individus répondant au nom de Leyrac étaient activement recherchés, comme l'assurait le capitaine, comment se faisait-il que nul n'ait cru bon de les arrêter plus tôt, Paul et lui ? Il aurait été facile de les intercepter lors du passage de la frontière ou des vérifications d'identité auxquelles on les avait soumis depuis leur arrivée.

« On nous a demandé nos papiers deux fois à Arica, une fois à Huara et une autre à Quillagua lorsqu'on a fait le plein d'essence, alors ? »

— Leur histoire ne tient pas debout ! décida soudain Paul, et je vais te dire pourquoi ! Ils savaient, avant même qu'on entre dans ce foutu pays où règnent de foutus militaires, ils savaient qu'un Leyrac allait venir ! Ils t'ont accordé un visa, oui ? Et le patron du *Monde chez vous*, vu la notoriété de sa chère revue, a même obtenu cette sorte de laissez-passer qui devait nous permettre de nous balader et de photographier en toute quiétude. Et ton nom est inscrit partout, alors ?

— Bien vu ! approuva Christian qui s'en voulait maintenant de ne pas avoir opposé de si solides arguments aux pernicieuses insinuations du capitaine.

« Faut dire qu'il m'a pris en traître, ce salaud, pensa-t-il, mais il devra bien s'expliquer lors de la prochaine entrevue ! Mais pourquoi ce ridicule coup fourré ? » s'interrogea-t-il.

— Il y a un loup quelque part, tout ça empeste la magouille, dit Paul.

— Ou tout bêtement la grosse erreur, la vilaine bavure, et ça ne serait pas la première! Bon sang, si on avait affaire à un régime normal, ça irait, mais avec cette bande de fascistes! Sont pas du genre à reconnaître leurs erreurs, et c'est bien ça l'inquiétant... Ces voyous fusillent d'abord, vérifient au bout d'un an, s'excusent dix ans plus tard et baptisent une avenue à ton nom un siècle après!

La nuit était tombée depuis trois heures, mais Christian veillait toujours et savait qu'il ne s'assoupirait pas avant longtemps. Pourtant, presque à portée de main, recroquevillé en fœtus sur l'autre grabat, Paul dormait et parfois même ronflait.

« Heureux veinard », pensa Christian, en essayant une fois de plus de comprendre le sens de toutes les inscriptions qui s'étalaient sur les murs.

On leur avait laissé la lumière, mais, vu les circonstances, il en était à se demander si c'était par gentillesse ou pour les empêcher de dormir.

« A moins que ce ne soit simplement pour nous surveiller... »

Étendu sur le lit, dos bien à plat et mains sous la nuque, dans la position qu'il adoptait dès qu'il s'allongeait — c'était le seul moyen de ne pas enfouir la face dans l'infâme et puante couverture recouvrant la paillasse —, il reporta son attention sur les graffitis

53

qui maculaient les murs. Il y était dit, ici et là, entre d'obscènes gravures de femmes nues, que Pinochet était une pute, un tueur, une ordure. Qu'un certain Lazzario n'avait pas de *cojones* et, un peu partout, que la liberté devait vivre, qu'elle était belle, magnifique, et méritait bien que l'on se batte pour la défendre, ou la gagner.

« Et dire que, de par le monde et depuis que les hommes ont inventé les cachots, les interrogatoires et autres inquisitions, tous les prisonniers n'ont aspiré qu'à mettre cette phrase en pratique », pensa-t-il en déchiffrant un *Viva la Libertad!* gravé entre deux poings grossièrement dessinés qu'enchaînait une paire de menottes. Et l'émouvant, le pathétique de cette profession de foi, de ce cri, était cette myriade de petites taches brunes qui semblaient jaillir de la paume de ces deux poings serrés, crispés, comme pour cacher les stigmates d'où semblait jaillir ce sang, sec depuis longtemps, mais si vivant pourtant.

« Surtout ne pas s'attarder à tout cela, ne plus y penser, ou alors je vais craquer. Et ça, je n'en ai pas le droit », décida-t-il en essayant de se remémorer l'enquête qui lui avait permis, un an plus tôt, de savoir enfin qui était son père.

« Et ne serait-ce qu'à cause de lui, je n'ai pas le droit de faiblir, pas même de me laisser aller au moindre abattement. Je n'ai pas le droit à cause de tous ceux qui, bien avant moi, ont subi tout cela, en pire, en mille fois pire, dans des circonstances et des temps effroyables. Moi, ce que je vis en ce moment, c'est tout au plus une expérience, désagréable certes, très désagréable même, mais eux, eux tous, c'est un calvaire qu'ils ont gravi. Je ne dois pas faiblir, en souvenir de mon père et de tous ses compagnons, hommes, femmes, adolescents, et même enfants pris dans la tornade de tous les pays totalitaires du monde. Je ne le dois pas, par respect pour cette vieille petite tante Berthe, toute menue et ratatinée, que Jo adore, qui a connu l'enfer de Ravensbrück et en est revenue, plus forte et solide que jamais! Tante Berthe qui, cette année encore, pour le 8 Mai et pour que nul n'oublie les sacrifices de tous les suppliciés des années noires, est partie, toute seule, fière, médailles au vent, déposer, comme tous les ans, une brassée de fleurs sauvages devant le monument aux morts de Saint-Libéral!»

Paul grogna, se gratta énergiquement les côtes — les paillasses grouillaient de punaises —, se retourna en marmonnant et poursuivit son sommeil.

«Pas possible, il a un truc!» pensa Christian avec envie, ou alors il applique à la perfection le fameux «qui dort, dîne!»

Car ce soir-là encore, et en dépit de tous les encouragements qu'il lui avait prodigués, le Québécois avait boudé le repas, sorte de tambouille rougeâtre — mélange de pommes de terre et de haricots — bourrée de piments et qui emportait la bouche. Christian avait encore la gorge en feu et des renvois brûlants, mais il ne regrettait pas de s'être forcé à manger.

« Parce que Dieu seul sait pour combien de temps nous sommes là, alors autant ne pas s'affaiblir en restant l'estomac vide. Et encore, le tout n'est pas uniquement de se nourrir, il faudrait aussi que je dorme, et ça... »

Malgré plusieurs essais – y compris en nouant son mouchoir autour de la tête à la hauteur des yeux pour échapper à la lueur crue du plafonnier –, il ne pouvait trouver le sommeil, il ne le sentait pas venir. Et la lumière n'y était pour rien. L'inquiétude, en revanche...

Car s'il avait préparé son voyage au Chili avec une indiscutable excitation, celle que lui procurait l'idée de découvrir le pays d'accueil de ses arrière-grands-parents, cela ne l'avait pas empêché de bien se renseigner sur les rigueurs, pour ne pas dire l'horreur, du système en vigueur. Avant de partir, il avait même rencontré à Paris deux confrères chiliens, réfugiés en France depuis le coup de force de Pinochet, qui n'avaient rien fait pour le rassurer. A les croire, et il n'avait aucune raison de mettre leur parole en doute, le régime en place depuis septembre 1973 par la junte militaire était celui de la terreur. Les arrestations, les incarcérations et déportations étaient banalisées, la torture s'insérait presque logiquement dans tout processus d'interrogatoire, et les exécutions se comptaient par milliers...

C'est à cause de toutes ces précisions, qui recoupaient d'autres renseignements, qu'il avait demandé, et obtenu, toutes les autorisations et autres laissez-passer qui, espérait-il, lui conféreraient en quelque sorte un statut de *personna grata*. Paul ayant agi de même de son côté, c'est sans appréhension qu'ils étaient entrés au Chili.

« Et c'est comme ça qu'on se retrouve ici, fait comme des rats, à la merci d'un petit officier qui a l'air aussi franc qu'un cul de mule et que notre arrestation fait manifestement jouir... Et comme il s'est sûrement bien gardé de prévenir qui que ce soit et qu'il faudra plusieurs jours avant que les amis du *Monde chez vous* et même Jo s'inquiètent et lancent les recherches, on peut s'attendre à tout, même au pire... Il y a eu des précédents, nous ne serions pas les premiers à disparaître sans laisser de trace... Oui, Jo avait raison de s'inquiéter. Elle avait peur de me voir partir, très peur, c'était visible, même si elle essayait de crâner », songea-t-il avec attendrissement et en se remémorant leur dernière nuit, juste avant son envol pour Lima où Paul devait le rejoindre. Une soirée d'amoureux, pleine de passion et d'enchantement. Mais aussi de larmes cachées derrière les paupières closes de Jo, toute rayonnante de cette félicité qu'ils savaient si bien se dispenser l'un à l'autre, avec tact, patience, attention et un émerveillement toujours renouvelé, toujours neuf.

Jo redoutait de le voir partir. Elle avait peur comme chaque fois qu'il s'envolait vers un de ces coins du monde où les hommes de toute race, mais tous aussi fous, semblaient prendre un immense plaisir à s'entretuer.

« Mais je crois que, cette fois, elle avait encore plus peur que d'habitude, comme si elle devinait ce qui nous arrive... Et pourtant, elle n'a rien fait pour me retenir. Elle savait trop à quel point j'étais heureux de venir ici et à quel point aussi j'avais besoin d'effectuer cette sorte de pèlerinage aux sources, cet épilogue à toutes ces recherches qu'elle m'a aidé à faire. Parce que c'est quand même elle qui a pensé à demander conseil à sa grand-tante Berthe, l'ancienne résistante, l'ancienne déportée... »

*

Quoique un peu déçu d'avoir perdu la trace de la branche corrézienne des Leyrac, celle des Fonts-Miallet, devenus « Chez Louriquin », Christian n'avait pas baissé les bras. Aussi, plutôt que d'attendre passivement les hypothétiques réponses des notaires contactés à Bordeaux, avait-il décidé d'enquêter de son côté. Et c'est là que Jo lui était venue en aide.

— Tu sais, avait-elle rappelé, tante Berthe n'en parle jamais, mais elle était résistante, elle aussi. Et elle aussi a été déportée. Alors peut-être qu'elle a des idées sur la façon de retrouver ceux et celles qui ont subi les mêmes épreuves. Tu veux que je lui demande ?

— Pourquoi pas ? avait-il acquiescé pour ne pas la vexer, mais sans trop croire aux résultats d'une telle démarche.

Malgré cela, le soir même, juste après le dîner et alors que la soirée, lumineuse et chaude, n'en finissait pas de mourir, il avait suivi Jo jusqu'à la maison Vialhe, celle de Saint-Libéral, si chargée de passé et de vie et si calme maintenant, seulement animée par la paisible présence de trois vieilles dames depuis que Louise avait quitté ce monde, au début de l'année. Trois belles-sœurs qu'unissaient soixante-dix ans de souvenirs, de joies, de soucis, de bonheur, de chagrin, de vie.

Berthe, la plus âgée, de plus en plus menue et frêle, mais toujours vive malgré ses quatre-vingt-cinq ans, pleine d'humour et de bon sens.

Yvette, la plus jeune et de loin, avec ses soixante-douze ans, toujours discrète, efficace et douce.

Et enfin Mathilde, qui portait bien ses soixante-dix-huit ans et qui avait à cœur de se tenir droite, solide, et toujours très soignée et coquette, en souvenir de Pierre-Édouard.

Lui, il s'était sereinement endormi par un matin de mai 1977, à l'heure où les oiseaux s'éveillent et commencent leurs trilles. Il était parti au chant des fauvettes babillant dans les framboisiers du jardin, aux mélodies des grives musiciennes s'appelant dans les vergers, aux bonjours des coucous jouant à cache-cache dans la pinède du château. Il était parti dans le calme et la discrétion, entouré des siens et après avoir eu, dans un ultime instant de lucidité, la joie de connaître et de toucher au front, d'un index tremblant, son premier arrière-petit-fils, Pierre-Jacques-Édouard Vialhe, âgé de huit jours.

Jo avait accouché de David trois semaines plus tard, et la joie avait doucement refleuri dans la vieille maison Vialhe.

Ce soir-là, dîner pris, les trois belles-sœurs, installées sous la tonnelle du jardin pour y trouver un peu de fraîcheur, devisaient de tout et de rien en attendant la nuit.

— C'est gentil de passer nous voir, avait dit Mathilde en embrassant Jo. Et David, où est-il ?

— On l'a laissé aux parents. Tu verrais le cirque qu'il leur fait !

— Mais vous n'êtes quand même pas sur le départ ? s'était inquiétée Mathilde, vous ne passez pas pour nous dire au revoir, non ?

— D'abord, si c'était le cas, nous t'aurions amené ton arrière-petit-fils, lui avait gentiment reproché Jo. Ensuite, je t'ai dit hier que nous avions encore quinze jours de vacances ! Tu ne m'écoutes pas alors ?

— C'est vrai ! Je ne sais plus où j'ai la tête. Oh, c'est cette chaleur ! Mais vous voulez peut-être boire ? Une infusion ? Un café ?

— Par cette température ? avait lancé Berthe en riant, et pourquoi pas un grog, tant que tu y es ! Je parie que Christian ne refusera pas une bonne bière bien fraîche, ou même un petit whisky, et je lui tiendrai compagnie ! Allez, petite, avait-elle dit à Jo, tu sais où je range tout ça ; va chercher ce qu'il faut, prends-toi ce que tu veux et n'oublie pas les glaçons ! Tiens, tant que tu y es, ramène-moi mes gauloises !

— Tu sais ce que t'a dit le docteur Martel..., lui

avait rappelé Yvette avec une moue de désapprobation.

— Tout à fait. Mais, comme le disait si souvent ce pauvre Pierre-Édouard, Martel est un âne. Vous pensez bien que j'ai passé l'âge d'écouter ces sornettes! avait-elle ajouté à l'adresse de Christian.

C'est plus tard, à la nuit, alors que Mathilde et Yvette étaient rentrées dans la maison car la fraîcheur tombait, que Jo avait interrogé sa grand-tante.

— Voilà, tu sais que Christian enquête sur tout ce qui peut concerner son père et ses grands-parents?

— Mais oui, et c'est ce qui vous a amenés je ne sais où, l'autre jour, et en pure perte, d'après ce que tu m'as dit.

— Pas tout à fait, mais presque. Alors moi, j'ai pensé que tu pourrais peut-être nous dire où il faudrait que nous nous renseignions au sujet de son père; il était résistant et...

— Je sais, l'avait coupée Berthe en allumant une nouvelle gauloise. Mais vous, les jeunes, vous êtes étranges. J'attendais ta question depuis que tu m'as dit que ton mari s'était mis en recherche. Je me disais : A leur place, plutôt que de tâtonner, j'irais voir les gens qui savent, ceux qui ont vécu cette période. Et puis je me suis dit aussi : Comme je n'en parle jamais et que je suis une très vieille dame, d'une autre époque – si, si! pas la peine de vouloir me faire croire le contraire! Ce n'est pas parce que j'ai l'esprit large, pas mal d'expérience, que je fume et m'offre un whisky de temps en temps que je suis de votre

61

siècle! – alors je me suis dit : sans doute n'osent-ils pas. Mais ils oseront venir me voir quand ils voudront vraiment savoir. C'est ce qui se passe, non ?

– Oui, avait reconnu Christian.

– Très bien. Alors vous avez plusieurs solutions... Tiens, petite, va me chercher mon châle, dans ma chambre; si je prends froid, cet âne de Martel dira encore que c'est à cause du tabac, c'est une idée fixe chez lui! Oui, avait-elle poursuivi dès que Jo s'était éloignée, il faut que vous le sachiez, tout ce qu'on vous a raconté et tout ce que vous avez appris sur ce qu'ont vécu des gens comme votre père, je veux dire depuis leur arrestation jusqu'à leur... délivrance, eh bien, c'était encore pire... Même moi, je ne saurais vraiment l'exprimer, et pourtant je l'ai vécu, je ne saurais tout transmettre, tout dire. Alors je préfère me taire, pas pour oublier, c'est impossible, mais par crainte de ne pas savoir bien en parler et trahir ainsi toutes celles que j'ai laissées en chemin, toutes mes amies perdues, et elles sont si nombreuses... Mais, n'oubliez pas, vous allez découvrir le mal. On a galvaudé et déprécié ce mot, on le met à toutes les sauces, il est vrai qu'il est si petit, si court..., alors on s'en sert à temps et à contre-temps. Mais ceux qui l'ont subi savent ce que représentent ces trois petites lettres de rien du tout...

– Tiens, couvre-toi bien, avait dit Jo en revenant. Alors, tu as pu renseigner Christian ?

– Un peu... A peine... C'est à lui de chercher, et ce n'est pas facile. Votre père n'était pas d'ici, n'est-ce pas ? Je veux dire de la région ?

— Non. Tout ce que je sais, c'est que mon grand-père vivait à Bordeaux mais que je suis né à Paris. Je peux donc en déduire que mon père habitait la capitale.

— Mais de là à savoir dans quel réseau il était..., avait murmuré la vieille dame. Bon, pour vous renseigner, vous avez d'abord le ministère des Anciens Combattants, mais ça vous prendra sans doute du temps. Ou alors, et c'est peut-être plus simple et plus rapide, n'oubliez pas que tous les anciens déportés, de tous les camps, ont créé des amicales, des associations, des mouvements du souvenir. Et ne souriez pas. Je sais bien que, pour vous les jeunes, tout cela empeste la naphtaline et relève du folklore; mais pour nous, les rescapés, qui sommes de plus en plus rares, c'est ce qui nous permet encore de nous compter lorsque arrive le bulletin de liaison... Alors cherchez de ce côté-là et peut-être qu'avec un peu de chance vous trouverez quelqu'un qui a connu votre père. Quel âge avait-il en 40 ?

— Vingt-cinq ans. Aujourd'hui il aurait...

— Il n'aurait que soixante-trois ans, avait coupé Berthe, alors il est certain que plusieurs de ses compagnons de résistance ou de déportation vivent encore. Trouvez-les et écoutez-les. Mais n'oubliez pas ce que je viens de vous dire sur ce petit mot de trois lettres vers lequel vous vous avancez sans peut-être en mesurer toute la portée...

*

« Elle ne croyait pas si bien dire, pensa Christian en recommençant à déchiffrer les inscriptions qui couvraient les murs, même ici le mal me poursuit. Il est là, inscrit dans tous ces appels, dans toutes ces taches de sang, dans tous ces gémissements et tous ces cris, perdus et étouffés, mais qu'on croit encore entendre rien qu'en regardant ces pauvres lettres, si maladroitement tracées... Tiens, voilà que l'ami Paul fait des cauchemars; il est vrai qu'on en ferait à moins, pensa-t-il en regardant son compagnon. »

Celui-ci grognait comme un goret. Il se retourna une fois de plus, se gratta, gémit et s'éveilla.

— Saloperie de saloperie! grommela-t-il en s'asseyant au milieu du châlit. Il jeta un regard effaré autour de lui et lança : Tu as l'heure ?

— Ça faisait longtemps! Minuit et demi, dit Christian en se levant.

Il nota qu'une armée de cafards et autres répugnantes bestioles couraient sur le béton du sol et fuyaient à son approche. Il écrasa quelques retardataires qui craquèrent sous ses semelles.

— Minuit et demi ? Pas plus ?

— Te plains pas, ça fait presque deux heures que tu dors.

— Si tu appelles ça dormir, toi! Je suis tout bouffé par les puces et les punaises, gémit Paul en ouvrant sa chemise. Ah! les saloperies, dit-il en contemplant son torse et son estomac mouchetés de piqûres.

Il quitta sa paillasse en jurant, se dirigea vers le coin de la cellule où béaient des W.C. à la turque et urina sans cesser de maugréer.

— J'ai faim, dit-il en revenant s'asseoir au bord du lit.

— Je t'avais prévenu, dit Christian en allant se soulager à son tour, mais, si tu veux, il reste un fond de casse-croûte, dit-il en regardant la gamelle toujours posée sur la table. Elle grouillait de cafards... Bon, je n'ai rien dit, ajouta-t-il en faisant la grimace.

Il jeta un coup d'œil dans le pichet, constata que quelques insectes bruns et noirs se débattaient à la surface de l'eau et revint, écœuré, s'asseoir sur son lit.

— Tu n'as pas dormi, toi ? demanda Paul.

— Non, pas sommeil, et puis j'ai autant de punaises et de puces que toi.

— J'en doute... Moi, je les attire. Enfin, c'est toujours ce que me disait ma femme, dans le temps...

« C'est étrange, pensa Christian, si j'ai bonne mémoire, c'est le quatrième reportage que nous faisons ensemble, nous nous connaissons depuis trois ans et je crois bien que nous n'avons jamais évoqué notre vie privée. Tout ce que je sais, c'est qu'il était déjà séparé de sa femme lorsque nous nous sommes connus, mais ça ne va pas plus loin et, dans le fond, c'est très bien comme ça, il ne faut pas mélanger la vie professionnelle et la vie privée. »

— Tu m'as bien dit que tu étais marié, toi, insista Paul en s'allongeant sur sa paillasse.

— Oui.

65

— Tu as des gosses ? Ah! oui, tu me l'as dit, un fils, c'est ça ?

— Oui, acquiesça Christian qui ne se souvenait pas avoir été aussi disert.

— Veinard, dit Paul dans un bâillement. Moi, j'aurais bien aimé avoir un ou deux gamins, et puis bah! la vie en décide autrement et tu te retrouves comme un ours, seul, et sans grande envie de remettre le couvert...

« Il a dû en baver et il meurt d'envie d'en parler », pensa Christian ému par le ton désabusé et triste avec lequel Paul venait de s'exprimer. Alors, par gentillesse et parce qu'il devinait que son compagnon avait, plus que jamais, besoin d'un peu de réconfort, il lança :

— Dis, rigole pas! Tu as encore tout le temps de te trouver une gentille fille qui se fera un plaisir de te fabriquer deux ou trois petits Québécois!

— Peut-être, mais chat échaudé... Moi, tu sais, pensant des années j'ai joué franc jeu avec ma femme. Je n'avais pas grand mérite, j'étais amoureux et il y avait de quoi, t'aurais vu cette belle plante... et douce en plus, gentille quoi... Oui, j'étais amoureux. Et je croyais que c'était réciproque! Tu parles! Quel couillon j'étais... Ah! si, elle m'aimait bien, surtout au moment de la paie! Et moi je n'y voyais rien. Et puis un jour, je suis rentré plus tôt que prévu; tiens, c'était d'un reportage sur les Aztèques, ça avait marché au poil – pas comme ici, bon Dieu! – et du coup, on était en avance. Tu piges la suite ?

– Je la vois venir, dit Christian.

– Non, mon pote, tu ne vois rien du tout ! Tu es en train de te dire : Bon, ce pauvre Paul arrive chez lui et trouve un galant dans ses draps, pas étonnant, il a une tête de cocu ; mais si, c'est ce que tu penses ! Mais t'es dans les patates, mon bonhomme, comme on dit chez nous, ouais, tu te trompes ! C'est vrai, en plus de ma femme, il y avait quelqu'un sous les toiles, quelqu'un que j'aimais beaucoup, et depuis des années, depuis plus longtemps que ma femme. Quelqu'un avec qui je travaillais depuis douze ans, ma meilleure copine ! Une sœur pour moi... Et je les trouve toutes les deux, à poil dans mon lit... Tu me diras, dehors il y avait plus d'un mètre de neige et il faisait moins quarante, alors on se réchauffe comme on peut, pas vrai ? Mais quand même, ça fait dépit... Surtout que ça faisait des années que ça durait et je n'avais rien vu ! Alors j'ai repris ma valise, et voilà... Mais si tu veux m'en croire, n'abuse pas trop des reportages au bout du monde, ne t'absente pas trop. N'oublie jamais : un lit à deux places, c'est trop grand pour une personne seule...

« Jo et moi, c'est tout différent ! » faillit dire Christian. Puis il réalisa que ce genre de phrase n'entraînerait qu'un haussement d'épaules de son camarade, voire une réplique oiseuse ; il préféra se taire et ferma les yeux.

Il ne répondit pas lorsque, dix minutes plus tard, Paul s'enquit de l'heure pour la énième fois !

4

Le plafonnier s'éteignit à une heure vingt, ce qui eut pour effet immédiat de sortir Christian du sommeil dans lequel il avait enfin fini par sombrer.

« C'est bien ce que je pensais, ces salauds font tout pour nous perturber, ragea-t-il en constatant qu'il n'avait même pas dormi une heure ; et pourtant j'ai dû rêver un peu », se souvint-il en s'accrochant à la fugitive silhouette de Jo, telle qu'elle était sur la photo qui plaisait tant au petit capitaine. Une Jo qui évoluait en un lieu inconnu, plein de fleurs et d'oiseaux et où, par malheur, avait surgi un infernal projecteur que brandissait, hilare, un des soldats qui les avaient arrêtés la veille.

« Non, l'avant-veille, rectifia-t-il, il y aura cet après-midi quarante-huit heures que nous sommes là. Il va bien falloir qu'ils prennent une décision aujourd'hui, et s'ils ne la prennent pas... »

Il sentit revenir l'inquiétude qui le rongeait dès qu'il se laissait aller à réfléchir à leur situation.

« Ne pas y penser, se redit-il, ne pas faire à ces

voyous l'honneur de se laisser abattre, ça leur ferait trop plaisir! D'ailleurs, il faut que je dorme, comme le fait si bien l'ami Paul, pauvre vieux... Il faut absolument que je dorme ou alors je ne tiendrai pas le coup et le petit capitaine triomphera. Il faut que je dorme... »

Il ferma les yeux, chercha à s'absorber dans le doux souvenir de Jo, de plus en plus tendre et câline, mais comprit vite que même cette sorte d'évocation, pour délicieuse qu'elle fût, ne suffirait pas à l'entraîner dans l'inconscience. De plus, depuis que le plafonnier était éteint, ses yeux s'étaient habitués à l'obscurité, et il était presque gêné par la lueur diffuse qui entrait par la fenêtre; une clarté suffisante pour que se découpent, sur un ciel bleu noir, les quatre épais barreaux lui rappelant sa condition.

Il se leva sans bruit, pour ne pas réveiller son compagnon, alla jusqu'à la fenêtre et s'y accouda sans peine car elle était à la hauteur de sa poitrine.

La nuit était magnifique, lourde d'une chevelure d'étoiles dont les scintillements irradiaient une lumière d'un bleu phosphorescent. Le patio, si triste, poussiéreux et terne sous le soleil, en était transformé et en devenait accueillant. Et même les bâtiments qui l'encerclaient, si austères et sales en plein jour, paraissaient avenants, presque gais.

« Et pourtant, qui sait combien de pauvres bougres se sont fait tabasser, ou fusiller, en ces lieux qui semblent si paisibles sous les étoiles. On ne peut se fier à rien! » pensa-t-il en regagnant sa couche.

Il s'obligea à oublier qu'elle était grouillante de vermine, s'allongea, glissa ses mains sous sa nuque et espéra que le sommeil allait venir ; mais, déjà, lui revenaient des souvenirs.

Et ce n'étaient plus ceux de Jo, ni de David, ni de tous les épisodes plus ou moins agréables qui jalonnaient sa vie. C'étaient ceux de cette quête obstinée qu'il avait menée à la recherche des traces – presque effacées et invisibles – d'Adrien Leyrac, ce père dont il voulait connaître la vie.

*

« Grâce aux suggestions de tante Berthe, tout a d'abord été très vite. Si vite que je m'en suis même un peu voulu d'avoir attendu tant d'années avant de me lancer dans mon enquête.

Retour à Paris, c'est au ministère des Anciens Combattants que je me suis d'abord adressé. Là, à mon étonnement, c'est sans aucun problème et aussitôt ma demande formulée qu'on m'a communiqué les adresses parisiennes des différentes associations regroupant l'ensemble des Français déportés à Dachau. Ce camp, premier en son genre, situé à vingt kilomètres au nord de Munich, ouvert au printemps 1933 en vue de l'extermination des citoyens allemands opposés au régime nazi.

Il ne me fallut que quelques heures pour faire un saut au siège des associations, expliquer mon problème et en repartir riche de précieux annuaires.

M'installant à une table du premier bistrot venu, je commençai aussitôt à lire la longue liste de tous ces hommes jadis jetés dans d'épouvantables nuits de brouillard et d'horreur.

C'est dans la moitié du deuxième tome que le nom de mon père me sauta aux yeux. Il était là, au bas de la page, juste à la hauteur de mon pouce. Et je ne vis plus que lui.

Encadré d'une petite croix, de la date 20-7-44 et d'un numéro matricule indiquant que plus de 72 200 malheureux avaient déjà été enregistrés avant lui, gisait Leyrac Adrien, négociant en vins et spiritueux. C'était tout. A la fois beaucoup et rien.

Beaucoup, car je devinais que le souvenir laissé par mon père pouvait encore vivre chez certains de ses compagnons, dont les noms étaient là, avec le sien, imprimés dans toutes ces pages. Mais c'était rien, ou si peu, car je n'ignorais pas que les témoins vieillissent et disparaissent et, plus simplement, que la mémoire s'émousse avec le temps. Or trente-quatre ans avaient coulé depuis la disparition de mon père. De plus, les anciens de son camp se chiffraient par plusieurs dizaines de milliers, et je ne voyais nulle raison de m'adresser à l'un plutôt qu'à l'autre.

Enfin, pour essentiels que soient les annuaires, aucun n'était récent – la dernière mise à jour datait de plusieurs années – et rien ne prouvait que les éventuels destinataires de mes lettres, voire de mes coups de téléphone, soient toujours de ce monde.

Le soir même, me voyant perplexe quant à la marche à suivre, ce fut Jo qui vint à mon aide.

— Tu as lu ça ? me demanda-t-elle soudain.

Je vis que, délaissant la télévision, elle s'était plongée dans la lecture des annuaires.

— Lu quoi ?

— La présentation ?

— Non, pas encore, mais je comptais bien le faire.

— Alors, arrête cette niaiserie qu'on a déjà vue trois fois, sinon plus, et écoute ce passage ; après tu liras le reste, c'est un bref historique du camp. Écoute : « ... Ce n'est que l'été 1944 que le camp allait recevoir des convois massifs de Français. Le 20 juin 1944 débarquait ainsi un convoi expédié par la Gestapo de Paris, fait de 2 140 hommes qui reçurent — écoute bien surtout ! — qui reçurent les numéros 72274 à 74413 ! » Ton père était bien dans ceux-là ?

— Oui.

— Alors ça rétrécit ton champ de recherche ! Si quelqu'un peut se souvenir de lui, il se trouve parmi ces numéros. N'oublie pas que tous ces pauvres gens ont voyagé ensemble pendant plusieurs jours et dans les conditions qu'on connaît...

— Oui, mais contacter plus de deux mille personnes, dont beaucoup sont mortes depuis...

— Réfléchis un peu ! s'énerva-t-elle, je croyais que les hommes étaient logiques et les femmes instinctives ! Là, tu manques vraiment de logique !

— Ah bon ?

– Parfaitement ! Pense à ces hommes entassés dans des wagons plombés, insista-t-elle – et je notais que son ton s'était fait grave, posé : ils sont là, côte à côte depuis le début du voyage, contraints de s'aider, de se supporter et pour finir, peut-être, de se haïr, tant les conditions du transport sont épouvantables. Oh ! ne me regarde pas avec ces yeux ! Tu sais très bien que je n'invente rien ! Un jour, il y a dix ans, j'ai interrogé tante Berthe, je voulais savoir. Tante Berthe n'aime pas du tout évoquer son expérience, mais quand je lui ai expliqué pourquoi j'avais absolument besoin de comprendre, elle a bien voulu me parler. Je me doute qu'elle ne m'a raconté que le minimum, mais ça m'a suffi... Ça t'étonne, ce que je te dis ?

– Oui, un peu, c'est la première fois que tu me parles de ça. Mais d'où t'est venu ce besoin de savoir ?

– C'est à cause de Mai 68...

– Allons bon ! Je ne vois vraiment pas le rapport ! Au sujet des manifestations, tu m'as dit que tu étais montée de Bordeaux avec des copains et des copines, dans une vieille Aronde pourrie, et que vous vous étiez bien amusés. Je ne comprends pas ce que vient faire ta tante dans cette histoire ! Je sais qu'elle est jeune d'esprit, mais je ne la vois pas défilant au milieu de vous en beuglant je ne sais quoi !

– Ne sois pas idiot, tu veux ! Mais justement, souviens-toi de ce qu'on criait pendant nos clowneries, comme tu dis.

– J'avoue que ça ne m'a pas spécialement marqué,

j'avais trop à faire pour protéger mon matériel !
Parce qu'entre vos équipes de gugusses excités et les
C.R.S. qui ne l'étaient pas moins !

– C'est à cause d'eux, justement... Rappelle-toi
nos slogans : « De Gaulle démission ! Dix ans ça suf-
fit ! Libérez la Sorbonne ! » et aussi : « C.R.S./SS ! »

– Oui, et alors ? Ça n'était jamais qu'un slogan de
plus complètement débile !

– Ça, tu peux le dire, mais c'est bien celui-là qui
m'a fait poser des questions... Je ne suis pas près
d'oublier, tu sais ; tiens, rien que d'y penser ça me
donne encore la chair de poule. C'était aux environs
du 13 mai : avec les copains nous étions rue des
Écoles et on braillait tant qu'on pouvait. C'était plutôt pour rigoler car les C.R.S. étaient encore à deux
cents mètres de là, sur le boulevard Saint-Michel.

– Je vois le tableau d'ici !

– Comme il faisait très chaud et que j'en avais un
peu marre d'être coincée au milieu des garçons – qui
pensaient surtout à peloter les fesses des filles –, histoire de mieux respirer je me suis faufilée jusqu'au
trottoir. Et là, je me suis presque trouvée dans les
bras d'une petite vieille, toute sèche et ridée, un peu
comme tante Berthe, et qui lui ressemblait. Et je me
suis vraiment demandé ce qu'elle faisait là, à son âge,
perdue au milieu de nous. C'est pour ça que je l'ai
regardée, et alors j'ai eu un vrai coup de cœur... Elle
pleurait ! Elle pleurait en tendant vers nous son bras
droit, dénudé jusqu'au coude. Et là, j'ai vu un
numéro tatoué. Et, sur son corsage, il y avait, pour

seul bijou, un petit morceau de barbelé. Et cette malheureuse pleurait en balbutiant, et c'était pathétique : « Je vous en supplie, mes petits, ne dites pas ça, ne dites pas ça ! Si les SS étaient là vous seriez déjà tous morts depuis longtemps ! Alors ne criez pas ça, mes petits, jamais ça, jamais ! En souvenir de nous, jamais !

« Moi, j'ai été poussée par les autres et je l'ai perdue de vue. Mais aujourd'hui encore je regrette de ne pas avoir eu le temps de lui expliquer que la rime C.R.S./SS était trop belle pour qu'on s'en prive, mais que ça n'allait pas beaucoup plus loin. Mais ce qu'elle m'avait dit ne m'a pas quittée, et c'est l'été suivant que j'ai demandé à tante Berthe de me parler de son expérience. Je voulais comprendre, j'avais toujours dans les oreilles les appels de cette petite vieille qui pleurait, et je n'ai toujours pas oublié son bras blanc, maigre, tout saillant de veines avec, au milieu, ces chiffres bleu noir, indélébiles, terrifiants...

– Je comprends.

– Alors, pour trouver ton père, pense à tout ça, à ce terrible voyage, à ces jours de calvaire, à cette arrivée des prisonniers dans le camp... Ils sont là, survivants mais presque moribonds et ils se serrent entre eux ; du moins ils essaient, pour se rassurer, pour se soutenir et s'entraider, si besoin. Ils sont sales, affamés, assoiffés, misérables. Ils ont peur, très peur... Et les brutes arrivent qui les poussent vers le block de la désinfection, vers la tonte totale et l'habillage. Je le sais, c'était pareil pour les femmes, tante Berthe me

75

l'a dit. Et moi je pense qu'ils essayaient toujours de rester groupés entre camarades, malgré les coups, la bousculade et les ordres... Alors, quand est venu le moment de les numéroter, je crois que ça s'est passé de la même façon et que les amis se sont retrouvés avec des numéros voisins.

— Pas sûr du tout, malheureusement. D'après les annuaires, je penserais plutôt qu'ils ont été classés par ordre alphabétique.

— Si tel est le cas, ça revient au même, on les aura aussi embarqués par ordre alphabétique et ils auront eu tout le trajet pour faire connaissance et ne rien oublier. De toute façon, que risques-tu ? Tu prends dix ou quinze numéros avant et après celui de ton père et tu écris à ces hommes en expliquant qui tu es et ce que tu cherches. Je suis certaine qu'ils répondront.

— Sauf s'ils sont morts depuis...

— Pas tous ! Allez, fais une belle lettre et expédie-la. Et n'oublie pas aussi de l'envoyer aux présidents des associations, aux secrétaires, à tous ceux qui peuvent se souvenir.

Dès le lendemain soir, j'ai posté trente photocopies d'une lettre assez brève, explicite et sérieuse pour être lue jusqu'au bout. Ensuite, j'ai commencé à attendre.

Ce fut long. Nous étions au mois d'août et toute la France était en vacances. Septembre arriva sans qu'aucune réponse ne me soit parvenue. C'est alors que je dus m'absenter pour couvrir les soubresauts prérévolutionnaires qui secouaient l'Iran et venaient de faire sept cents victimes à Téhéran, lors du Vendredi noir. Parti là-bas pour une petite semaine, du moins l'espérais-je, je demeurai en Iran plus de quinze jours, retenu, dès le 16, par le terrible séisme qui secoua la région de Tabas et fit dans les vingt mille morts. Pendant huit jours, je fis très peu de photos et beaucoup de déblaiement...

Cinq lettres m'attendaient au retour. Elles étaient toutes très sympathiques, souvent même émouvantes et chaleureuses, mais aucune ne recelait le moindre renseignement sur mon père.

Déjà fatigué et éprouvé par mon séjour iranien, j'étais à deux doigts de penser que toutes mes recherches resteraient vaines. Et les trois lettres suivantes m'avaient renforcé dans cette impression lorsqu'une neuvième réponse me parvint début octobre.

Calligraphiée en belles cursives, sous l'en-tête de la maison de retraite Saint-Vincent-de-Paul, de Bourges, elle était brève mais, pour moi, tellement riche d'espoir :

« *Cher Monsieur,*

Sorti voici peu de l'hôpital où me retenaient les séquelles d'une récente intervention chirurgicale, je m'empresse de répondre à votre lettre du 18 août.

J'ai connu votre père, peu de semaines avant son entrée en Éternité. C'est avec émotion, et très volontiers, que je vous en parlerais si vous pouvez venir jusqu'à moi car mon piètre état de santé m'interdit tout voyage.

La nuit de Calama

Dans l'attente de vous lire ou de vous rencontrer, je vous assure de mes sentiments les meilleurs.

Abbé Jean Lebrun. »

C'est un homme très grand et maigre, au visage creusé par les ans, la fatigue et la maladie, qu'animait cependant un regard d'un noir vif et perçant, qui me reçut le samedi suivant.

Un pâle soleil d'automne illuminait les frondaisons, déjà touchées par les premières gelées blanches, des grands hêtres et des marronniers du parc entourant l'établissement Saint-Vincent-de-Paul. Et sur la petite pièce d'eau, où se pavanaient quelques mandarins et deux cygnes, pleuraient, au moindre souffle, des brassées de feuilles d'un gros peuplier carolin perché au ras de la berge.

— Je redoute trop le froid pour vous proposer de rester dehors, comme mes confrères, s'excusa l'abbé Lebrun en désignant deux très vieux prêtres qui déambulaient à petits pas dans les allées, tout en chuchotant leur bréviaire.

La salle où nous entrâmes, lourde de boiseries et riche d'une bibliothèque aux reliures patinées, sentait l'encaustique fraîche, l'encens et ce parfum, ténu mais un peu âcre, que dégagent les gros cierges que l'on vient de moucher et qui fument encore.

— Que voulez-vous savoir au juste ? me demanda l'abbé Lebrun après m'avoir fait asseoir dans un vieux fauteuil avachi dont les ressorts piaulaient lamentablement. Il s'était lui-même installé dans un canapé vétuste, au reps élimé et aux entrailles aussi bruyantes que celles de mon propre siège.

— Ce que je veux savoir ? Tout ! Enfin, le maximum, dis-je après lui avoir exposé l'ensemble de mon problème.

Il hocha la tête, médita, comme perdu dans quelque rêve lointain.

— Je comprends votre recherche, et je l'approuve, dit-il enfin, mais je crains, hélas, vous être de faible secours.

— Ne croyez pas ça. A part ma mère, décédée il y a huit ans et qui m'a très peu parlé de mon père, vous êtes la première personne que je rencontre qui l'ait connu. Alors, tout ce que vous savez sur lui est, pour moi, d'une extrême importance.

— Tout ce que je sais ? insista-t-il.

— Oui.

Il ferma les yeux, remua négativement la tête, sembla hésiter, puis se lança :

— C'est très étrange et aussi très difficile. Comprenez-moi, vous êtes là, bien vivant, solide, sûr de vous, et vous attendez que je vous parle de cet homme que j'ai connu dans les pires circonstances qui soient et qui, à côté de vous, et dans ma mémoire, était tellement plus jeune, plus gamin presque, que vous ne l'êtes. Quel âge avez-vous ?

— Trente-six ans.

— J'en ai quarante-cinq de plus que vous, mais là n'est pas le problème. Ce qui me désoriente, c'est le souvenir de cet homme qu'était votre père en juin 44 lorsque je l'ai aperçu pour la première fois dans la cour de Fresnes, il paraissait tellement jeune...

– Il avait quand même vingt-neuf ans!

– Certes, mais ça ne se voyait pas. Je me souviens... Nous étions tous en rang, alignés derrière les camions, sans savoir où nous allions. Comme on nous avait ordonné de prendre les quelques misérables bricoles qui constituaient tous nos biens : un pullover, une brosse à dents pour certains, pour moi un missel, pour d'autres une photo, nous avions un peu moins peur que d'habitude. Les Allemands étaient plus que jamais des gens très organisés, ils ne fusillaient pas les prisonniers portant balluchon, ça faisait désordre... Alors, pour nous, c'était rassurant, enfin, un peu! Nous allions grimper dans les véhicules lorsqu'une nouvelle fournée de prisonniers nous a rejoints.

« Je les revois tous, ces pauvres bougres, une quinzaine, hâves, titubants. Certains étaient éblouis par le soleil et tentaient de se protéger les yeux derrière leurs mains menottées, aux doigts tout bouffis et violacés par le manque de circulation...

« Au milieu d'eux, soutenu par un camarade, avançait un homme, à petits pas douloureux. Son visage n'était qu'une plaie, mais il avait la tête haute et souriait! C'est à cause de ce sourire que je me souviens de cette première rencontre avec votre père : il souriait! Vous vous rendez compte? Dans l'état où il était! Et son sourire n'était pas du tout celui d'un homme qui cherche à provoquer ou qui crâne, il était sans défi et c'est en cela qu'il était remarquable. Votre père souriait comme le font les bons artisans contents et fiers de leur travail fini, c'était stupéfiant! A ce moment-là, un de mes voisins a chuchoté entre ses dents : " Ma parole, c'est Valparaiso! Oui, c'est bien Valparaiso! "

« J'ai appris, peu après, que c'était son surnom de Résistance. Vous savez, on choisissait souvent n'importe quoi; moi, par exemple, j'étais Cigogne, à cause de ma grande taille, alors pourquoi pas Valparaiso?

– Oui, pourquoi pas. Mais mon père avait une bonne raison de choisir ce surnom, une très bonne raison : son propre père était né au Chili...

– Ah? J'ignorais. Vous voyez, je ne sais pas grand-chose...

– Mais si, continuez.

– Le groupe s'est joint au nôtre et votre père s'est trouvé à côté de moi. Il était... Il était pitoyable... Vous comprenez, monsieur, ils l'avaient tellement interrogé, tellement battu, et pendant si longtemps! Je l'ai su par la suite, de la bouche d'un de ses compagnons, un certain Langlois Yves, mort du typhus en janvier 45... C'est lui aussi qui m'a dit que votre père n'avait pas dit un mot, rien, jamais. C'est pour cela qu'ils l'avaient tant et tant torturé... Mais je ne devrais peut-être pas vous raconter toutes ces horreurs?

– Continuez. Enfin, si vous voulez bien; mais moi, il faut que je sache, tout...

– Avant de nous faire grimper dans les camions, les gardes sont venus et ont enlevé les menottes de votre père. Le soudain afflux de sang dans ses mains paralysées a dû lui faire si mal qu'il n'a pas pu s'empêcher de gémir. Mais il s'est tout de suite repris, s'est encore efforcé de sourire et a dit : « Merci, monsieur le gardien, vous êtes trop bon ! » C'était tellement incongru, tellement ahurissant que tous ceux qui l'ont entendu se sont mis à rire, enfin, comme on pouvait rire dans la cour de Fresnes. Ça n'a pas du tout plu aux geôliers, et c'est à coups de crosse qu'ils nous ont fait grimper dans les camions. Votre père s'est assis à côté de moi, les gardiens ont fermé la bâche et nous sommes partis. Il faisait très chaud, très lourd, et l'orage menaçait. Déjà nous souffrions de la chaleur et de la soif ; ce n'était rien par rapport à ce qui nous attendait dans le train, mais quelques camarades commencèrent à se plaindre.

« C'est alors que j'ai mesuré tout l'humour dont était capable votre père, un humour qui sans doute le rendait si fort, si solide. A quelqu'un qui, au fond du camion, râlait : " Bon Dieu, on crève de chaud ! ", il lança – et c'est alors que je vis, entre ses lèvres tuméfiées, que deux de ses incisives étaient brisées net –, il lança : " Vous avez raison, un bon bain serait le bienvenu. Aussi nous pourrions peut-être demander au chauffeur de nous arrêter 11, rue des Saussaies, il y a là une baignoire en parfait état de marche... "

« Nous savions tous ce qui se passait rue des Saus-

82

saies, avenue Foch ou rue Lauriston; là-bas, c'était l'enfer... Alors, après cette boutade de votre père, même une fois dans le train qui nous attendait à Compiègne et dans le wagon où plusieurs d'entre nous périrent d'étouffement ou devinrent fous, les geignards hésitèrent avant de se faire entendre! Maintenant, veuillez m'excuser, je dois m'absenter quelques instants, j'ai un médicament à prendre.

J'attendis son retour, debout devant la fenêtre qui donnait sur le parc où se promenaient toujours les deux vieux prêtres, nez dans leur bréviaire.

Déjà, ce que je venais d'apprendre sur mon père me passionnait et me donnait envie d'en savoir plus, beaucoup plus. Car si se dessinait pour moi la silhouette d'un homme qui avait su dire non, qui s'était battu et qui savait sourire et plaisanter dans les pires circonstances, j'avais besoin d'étayer tout cela, de l'ordonner. Besoin d'entendre d'autres confidences, d'autres explications, besoin d'apprendre tous ces détails qui, ajoutés l'un à l'autre, font passer du flou artistique au portrait en gros plan.

— Je m'excuse, mais ma pauvre carcasse me fait bien des misères; enfin, ce n'est rien, lança l'abbé Lebrun en revenant.

Je notai qu'il semblait encore plus épuisé que précédemment. Il s'assit avec difficulté, soupira:

— Où en étions-nous?

— Écoutez, vous paraissez fatigué, je ne voudrais pas abuser. Si vous voulez, je reviendrai demain.

– Mais non, mais non. Au risque de vous choquer en citant Horace plutôt que l'Évangile, mais l'un n'empêche pas l'autre : *Carpe diem :* mets à profit le jour présent... Qui sait de quoi demain sera fait, surtout pour un vieil homme comme moi, en sursis depuis le 29 avril 1945 et qui a fait plus que son temps! De quoi vous parlais-je avant de partir ? Ah! oui, du voyage jusqu'au camp...

Il se tut, parut hésiter à réveiller certains souvenirs, puis se décida enfin à poursuivre, mais sur un ton si confidentiel que j'eus du mal à tout comprendre.

– Ce trajet! L'horreur! La soif, surtout la soif, celle qui rend fou! Et l'entassement... Et encore, nous avions un peu de chance, nous n'étions que quatre-vingt-seize dans notre wagon, enfin au départ... Dans certains wagons, ils étaient plus de cent! Oui, l'entassement, l'asphyxie due à l'exiguïté des ouvertures, et la soif, monsieur! Ah! la soif! Il faisait si beau dehors, mais si chaud, si lourd! Et nous, enfermés là, sous ce toit d'acier qui chauffait comme un four... Enfin, à quoi bon y revenir, vous avez l'âge d'avoir tout lu et tout vu sur ce chapitre. Alors vous comprenez que les conditions dans lesquelles nous nous sommes trouvés plongés de Compiègne jusqu'à Dachau furent tellement épouvantables qu'elles ne poussèrent pas aux confidences entre prisonniers!

– Je m'en doute. Vous étiez toujours à côté de mon père ?

– Oui, il avait beau tenter de plaisanter, il était

très affaibli, très marqué. Aussi son ami, Yves Langlois, faisait tout pour l'aider, le soutenir, l'encourager. Alors je lui ai donné un coup de main. Et voyez : je disais à l'instant que les conditions du voyage ne poussaient pas aux confidences, et pourtant il me revient la brève conversation que nous eûmes, votre père et moi, au soir du premier jour de train.

« Nous étions tellement serrés que nous ne pouvions nous accroupir qu'à tour de rôle, et pas plus d'une vingtaine à la fois. Votre père était si épuisé que je lui ai cédé ma place, quelque temps. C'est en se redressant peu après qu'il m'a dit, avec ce sourire, déformé par les ecchymoses, mais magnifique : " C'est quand même un comble, nous sommes ensemble depuis des heures, nous partageons le même wagon et le même inconfort, et nous ne nous sommes même pas présentés : Adrien Leyrac, négociant en vins et spiritueux. — Jean Lebrun, prêtre du diocèse de Bourges ", ai-je répondu. Il a hoché la tête avant de lancer : " C'est bien la preuve que nul n'est parfait ! "

— Il vous a dit ça ? coupai-je.

— Oui, oui ! Oh, ce n'était pas méchant, c'était juste pour essayer de détendre un peu l'atmosphère ; d'ailleurs ça m'a amusé. Puis il a insisté, et là il était sérieux : « Vous êtes prêtre, vraiment ? Alors comment se fait-il que vous soyez avec nous ? Tout le monde sait que vos confrères et surtout vos monseigneurs sont pétainistes ! Enfin, ils l'étaient presque tous jusqu'au débarquement ! — Pétainistes, ai-je

85

répondu, pas tous, la preuve, je suis là! – Oui, mais même pas en uniforme! a-t-il ajouté en observant ma tenue laïque. – Même pas, j'ai été cueilli alors que je bêchai mon potager, en tenue de jardinier, quoi! Ils n'ont pas voulu me laisser le temps d'enfiler ma soutane. Sans doute parce que son boutonnage est trop long! – Oui, ces gens-là sont toujours pressés de vous faire mettre à table... », a-t-il ricané.

« Il a continué à m'observer, et je le sentais encore sceptique, très prudent. Il est vrai que les Allemands ne se privaient pas de glisser des mouchards un peu partout, et surtout dans l'entourage immédiat de ceux qu'ils n'avaient pu faire parler. " Et ils vous ont arrêté depuis quand? a-t-il insisté. – 15 novembre 43. – Ah! d'accord. Alors c'est pour ça qu'on ne voit plus votre tonsure... ", a-t-il murmuré.

« Et il a semblé soudain rassuré et convaincu de ma bonne foi. Puis il s'est tu et, coincé contre les planches de notre wagon à bestiaux, debout, il s'est mis à somnoler. Nous sommes arrivés à Dachau deux jours et demi plus tard, et votre père était alors d'une faiblesse extrême et à peine capable de parler.

– C'était le 20 juin?

– Oui. Nous étions quelque deux mille dans ce train. Le voyage avait été très dur et meurtrier, mais, nous, nous avons quand même eu de la chance. Si, si! Quinze jours plus tard, j'ai assisté à l'arrivée des rescapés du convoi de la mort. Deux mille cinq cents hommes étaient partis de Compiègne trois jours plus tôt. Ils n'étaient plus que mille cinq cents à l'arrivée... Oui, nous avons eu une certaine chance.

— Si l'on veut... Au fait, vous qui êtes bien placé pour le savoir, pouvez-vous me dire si mon père était croyant ?

— Croyant ? Tout dépend ce que vous entendez par là !

— Disons... catholique.

— Alors je vous répondrai : sans doute pas, du moins au sens orthodoxe du terme, je veux dire pratiquant, car alors il me l'aurait sûrement dit, surtout à la fin. Mais je pense qu'il était chrétien et, de toute façon, oui, croyant.

— Comment le savez-vous ?

— D'une étrange façon. Quelques jours avant sa mort, alors que j'étais passé le voir au *Revier* – à l'hôpital du camp si vous préférez –, il m'a demandé pourquoi je m'étais lancé dans la Résistance alors que ma hiérarchie, il est vrai – à quelques exceptions près, et je pense entre autres à Mgr Saliège – prônait plutôt l'attentisme, quand ce n'était pas pis... Ce qui n'a pas empêché une bonne soixantaine d'entre nous, dont plusieurs évêques, d'être expédiés à Dachau, et je ne parle que de ce camp et des Français, bien sûr. Mais le fait est que l'image donnée par beaucoup de mes confrères n'était pas fameuse et qu'elle nous poursuit encore... Enfin, bref. Alors, pour répondre à sa question, je lui ai expliqué, comme j'ai pu, que j'en avais fait un point d'honneur, que j'avais mes idées sur la Patrie et la Liberté, que je refusais le nazisme, le racisme, la doctrine hitlérienne, tout quoi ! "Moi, c'est pareil, a-t-il murmuré. Mais qu'est-ce qui vous a décidé à franchir le pas ? a-t-il insisté. – La poignée de main de Montoire, lui ai-je dit. – Montoire... 24 octobre 40... Oui, c'est logique et c'est très bien ! a-t-il approuvé, vous êtes un des premiers, quoi, comme mon meilleur ami. Moi, j'ai trop attendu, beaucoup trop attendu, j'ai eu tort... "

« Je ne comprenais pas ce qu'il voulait dire, mais je le voyais tellement faible, presque moribond, que je n'ai pas voulu insister. Et c'est alors lui qui a balbutié une phrase dont je n'ai toujours pas compris le sens mais qui me permet de vous dire que votre père était croyant, au sens large du terme : " Moi, a-t-il chuchoté, j'ai trop attendu, beaucoup trop... J'ai perdu du temps. Et puis un jour, j'ai compris. J'ai compris grâce aux juifs... On ne doit jamais laisser massacrer un peuple, quel qu'il soit, jamais, c'est toujours une ignominie. Mais si, en plus, c'est un peuple qui a le même Dieu que vous, c'est non seulement une ignominie, c'est un suicide... " »

5

« Surtout ne faire aucun effort pour résister »,
s'ordonna Christian en sentant enfin venir le sommeil. Déjà les bribes de sa conversation avec l'abbé
Lebrun s'estompaient, devenaient confuses, inco-
hérentes, et même le parloir aux si belles boiseries,
où l'avait reçu l'ecclésiastique, semblait s'éloigner,
rapetisser. Seuls demeuraient les crispants grincements du fauteuil et du canapé, des bruits d'une telle
présence qu'ils en devenaient odieux, insoutenables.
Il s'éveilla en sursaut.

– Qu'est-ce que c'est ? marmonna-t-il en cherchant à mieux entendre. Puis il regarda sa montre et
jura : Bon Dieu ! Il n'est que deux heures cinq ! Il
était moins dix la dernière fois, je n'arriverai donc
pas à dormir !

Il avait pourtant les paupières lourdes, brûlantes
par manque de repos, et la fatigue lui battait les
tempes et la nuque. Avant-bras sur les yeux, il tenta
une fois de plus de sombrer dans ce sommeil tant
désiré et qui pourtant le fuyait. C'est alors que la

plainte reprit, monotone et brève, que le vent apportait, déformait, rendait étrange.

— Mais qu'est-ce que c'est ? grommela-t-il en se dressant sur sa couche.

Il se leva et, comme une heure plus tôt, alla jusqu'à la fenêtre. La nuit était toujours aussi belle et lumineuse, et il constata qu'une grande constellation, qu'il était incapable d'identifier, avait tourné au-dessus du patio.

« C'est vrai qu'on est dans l'hémisphère Sud, se dit-il comme pour s'excuser de son ignorance. Puis il sourit de sa propre impudence : De toute façon, nord ou sud, je n'y connais rien ! »

Il s'apprêtait à rejoindre sa couche lorsque les pleurs qui traversèrent soudain la cour le glacèrent. Ce n'était pas un chant, ni l'appel d'un quelconque rapace nocturne ou d'un coyote en vadrouille. C'était une complainte d'une tristesse infinie. C'était le pitoyable gémissement d'une femme, ou d'un adolescent, éperdu de souffrance et de désespoir.

— C'est pas possible, murmura-t-il, ça provient du bâtiment d'en face, là, tout près... C'est quelqu'un qui est enfermé comme moi, et qu'on torture ! Mais non ! c'est idiot, se reprit-il, si tel était le cas il y aurait de la lumière ! Alors, c'est un prisonnier, non ! plutôt une prisonnière qu'ils viennent d'amener, qu'ils ont jetée dans quelque cachot et qu'ils ont déjà tellement rouée de coups qu'elle n'en peut plus.

Attentif au moindre bruit, rage au cœur, il attendit plusieurs minutes. Il savait qu'il ne pourrait rien faire si les pathétiques sanglots s'élevaient de nouveau. Rien faire, sauf hurler à son tour, à pleins poumons, crier dans la nuit, protester, insulter, en appeler au monde entier au nom de la dignité de l'homme et de la liberté. Hurler à en perdre le souffle, pour que l'autre, là, si près, toute recroquevillée sur sa douleur, sache enfin qu'elle n'était pas seule, que ses appels étaient entendus, compris. Hurler enfin pour se vider de toute la haine que lui inspiraient les hommes dont la perversité, le vice, la méchanceté et les coups avaient réussi à faire sortir d'une bouche, d'une bouche de femme, faite pour rire, sourire, chanter, embrasser, consoler, une plainte aussi monstrueuse, inhumaine.

Mais là-bas, à trente mètres, de l'autre côté du patio, tout illuminé par une voûte étoilée somptueuse et chatoyante, la victime anonyme, peut-être vaincue par la fatigue et la souffrance, garda le silence.

C'est avec le souvenir d'appels désespérés vrillés dans les oreilles qu'il rejoignit enfin son châlit. Désormais, il en était certain, le sommeil ne viendrait plus. Car, mêlés aux cris qu'il venait d'entendre et qui le bouleversaient encore, le harcelaient maintenant les ultimes plaintes d'un homme, plus jeune que lui, Adrien Leyrac, dont il connaissait le calvaire grâce au récit, parfois désordonné mais si poignant, d'un vieux prêtre rompu par les épreuves, usé par les ans, mais toujours debout, et droit.

*

— Veuillez encore me pardonner, mais j'ai de gros problèmes de circulation, mes jambes s'ankylosent si je ne marche pas un peu, dit l'abbé Lebrun en s'extrayant avec peine du canapé qui grinça lamentablement.

Il fit quelques pas autour de la grande table, puis s'arrêta devant la fenêtre et contempla le parc.

— Vous savez, dit-il en se tournant enfin vers moi, il faut que je vous dise, ça me gêne un peu de vous l'avouer, mais quand j'ai reçu votre lettre, je n'ai pas tout de suite cru à sa véracité...

Il dut voir que je comprenais mal et ajouta :

— Oui, vous m'avez écrit être né en 42 ; j'ai connu votre père en 44, pas longtemps il est vrai, mais quand même. Eh bien, autant que vous le sachiez, même si cela vous peine ; mais vous êtes là pour tout savoir, n'est-ce pas ?... Il vit que j'acquiesçais et continua : Alors je dois vous dire qu'il ne m'a jamais parlé de votre mère, ni de vous... Or vous aviez déjà deux ans, et d'habitude tous les pères de famille parlaient de leurs enfants, surtout quand ils sentaient la fin proche. Mais peut-être l'a-t-il fait avec d'autres que moi ! s'empressa-t-il d'ajouter en voyant ma perplexité, pour ne pas dire mon désappointement ; je n'étais pas à ses côtés lors de son décès, alors peut-être que...

— Oui, peut-être, murmurai-je, choqué par ce que je venais d'entendre.

Choqué, car la confidence de ce vieux prêtre rejoignait trop la façon évasive avec laquelle ma mère avait toujours répondu à mes questions dès que je lui parlais de mon père. Ainsi donc, lui aussi avait dissimulé la partie familiale de son existence. Le tout était de savoir pourquoi et, là encore, il fallait que je le découvre. Car, s'il ne m'était plus possible de me contenter du leitmotiv de ma mère : « Ton père a voulu faire de la Résistance et il en est mort », il ne m'était pas possible non plus de me satisfaire du silence de mon père à notre sujet.

— Je vois que je vous ai peiné, dit l'abbé Lebrun en revenant s'asseoir.

— Un peu, oui, quoique tout cela soit si loin. Mais vous m'avez surtout intrigué, beaucoup. Savez-vous qui était à ses côtés lorsqu'il est décédé, si toutefois il y avait quelqu'un ?

— Il était toujours au *Revier* et, d'après ce que j'ai su, il est mort d'épuisement, et aussi des suites de tous les coups qu'il avait reçus... Alors je pense que les docteurs Martin et Salomon étaient avec lui.

— Vous avez dit Salomon ?

— Oui, oui, un juif, converti au catholicisme, mais juif quand même !

— Mais comment a-t-il pu échapper aux nazis dans un camp comme Dachau ?

— Oh ! C'était un homme de ressource ! D'abord il parlait admirablement l'allemand et, surtout, il avait un petit peu trafiqué son état civil en transformant Salomon en Solmann, ce qui donnait une consonance alsacienne. Alors ça, plus la maîtrise de la langue, plus le fait qu'il était un très bon médecin et que le camp n'en était pas riche...

— Je comprends. Donc ils assistaient mon père et devraient donc pouvoir...

— Hélas, tout n'est pas si simple, n'allez pas si vite, coupa l'abbé Lebrun en levant une main diaphane et tremblante. Le docteur Martin est décédé en 47 ou 48, je ne sais plus ; quant au docteur Salomon, il nous a quittés il y a une dizaine d'années. Eh oui, ajouta l'abbé en voyant mon dépit, je vous ai dit tout à l'heure que nous nous sentions tous en sursis depuis le 29 avril 45, jour de la libération du camp ; avant cette date, nous étions condamnés à mort à plus ou moins brève échéance ; depuis nous faisons en quelque sorte du supplément. Car n'oubliez pas que, parmi les derniers ordres donnés aux gardiens par les responsables du camp, figurait celui de nous éliminer jusqu'au dernier, à la mitrailleuse. Et sans l'arrivée des Américains... C'est cela, entre autres, qui explique cette notion de sursis, un sursis plus ou moins long pour certains.

— Mais alors, si je vous comprends bien, tous ceux qui auraient pu m'éclairer sur mon père ont disparu ? Non, excusez-moi, vous êtes là et grâce à vous j'ai beaucoup appris, mais...

— Je partage votre déconvenue. Mais je vous ai prévenu tout à l'heure que je n'ai connu votre père que pendant un petit mois. Et encore, au camp, je ne l'ai pas vu tous les jours. Nous avons été séparés après notre passage au block de quarantaine, et c'est peu après qu'il a été admis à l'hôpital.

— Mais quand même! insistai-je, si vous avez sympathisé, il vous a parlé d'avant! Je veux dire d'avant son arrestation! Il vous a parlé de sa vie de résistant, de ce qu'il faisait, quels étaient ses amis!

— Non. Et, tenez, je ne sais même pas à quel réseau il appartenait. Ne vous étonnez pas. Nous étions devenus très très prudents, même au camp et surtout au début. Aussi beaucoup d'entre nous restaient très discrets, pour ne pas dire muets, dès que quelqu'un abordait certains sujets. Il faut savoir que, même à Dachau, il y avait des moutons, des mouchards, si vous préférez. La prudence était donc de mise. De plus, je l'ai vite remarqué, ceux qui se taisaient avec la plus grande application étaient ceux qui avaient le plus souffert lors des interrogatoires, ceux qui étaient restés muets malgré la torture. A croire qu'ils s'étaient entraînés à se taire et qu'ils continuaient. Et c'est peut-être ce qui explique pourquoi votre père n'a jamais parlé de votre mère, ni de vous.

— Peut-être, dis-je sans beaucoup croire à cette explication qui me parut surtout destinée à adoucir un peu ses confidences sur ce point précis. Bon, admettons; mais l'homme qui avait chuchoté le surnom de mon père dans la cour de Fresnes, il le connaissait bien, lui!

— Sans aucun doute. Mais je n'ai jamais su son nom et nous nous sommes très vite perdus de vue.

Nous n'avons pas voyagé dans le même wagon, et après... Après, n'oubliez pas qu'il y avait des milliers de détenus à Dachau, des gens de l'Europe entière! Pensez, tout le long de la *Freiheistrasse* — oui, rue de la Liberté : les anciens du camp, en majeure partie des Allemands, avaient ainsi baptisé l'allée centrale! —, autour d'elle donc s'alignaient trente-quatre blocks dont trente étaient réservés à notre logement. Il paraît que chaque bâtiment avait été conçu pour abriter trois cents hommes. Mais, en juin 44, nous étions déjà près de mille par block, ensuite ce fut pis! Alors comment voulez-vous que j'aie pu retrouver quelqu'un dont j'ignorais même le nom, perdu au milieu de trente-cinq mille personnes toutes vêtues comme des bagnards?

— Je comprends. Mais, pour en revenir à mon père, de quoi parliez-vous lorsque vous vous rencontriez?

— Nous échangions les nouvelles que nous glanions çà et là, l'avance des alliés en France, des Russes à l'est. Nous supputions la destination des bombardiers alliés qu'on entendait de plus en plus souvent passer. Et puis nous évoquions la vie d'avant-guerre.

— Ah! Alors là, vous devez pouvoir me renseigner! Vous comprendez, j'ignore tout, moi!

— J'aimerais vous aider, dit l'abbé en se levant de nouveau. Il grimaça en commençant à marcher autour de la table : Oui, j'aimerais vous aider, mais que vous dire? Ah, si, il m'a souvent parlé de son

métier. Il travaillait surtout dans la région parisienne, mais descendait fréquemment à Bordeaux.
– Normal, mon grand-père y habitait.
– Ah? Voyez, j'ignorais même cela. Il était viticulteur, votre grand-père?
– Non, d'après ce que m'en a dit ma mère, il était
ingénieur agronome et ensuite régisseur de je ne sais
quel vignoble. Mais pourquoi pensez-vous qu'il était
viticulteur?
– Parce que votre père m'a souvent parlé d'un
domaine dont j'ai oublié le nom, un domaine produi-
sant je ne sais quel cru, grand cru, paraît-il. Il semblait très bien connaître cette exploitation, et il
l'aimait, c'est certain. La façon dont il évoquait ce
coin du Bordelais, la vigne, les plants, les vendanges
et la vinification m'avait frappé. Et puis, si je n'ai pas
oublié, c'est aussi parce que votre père, un peu
taquin, m'a dit un jour qu'on n'y produisait que du
rouge, donc pas de vin de messe!
– C'était vraisemblablement le domaine d'un de
ses fournisseurs.
– Sans doute, acquiesça l'abbé en regardant discrètement sa montre.
Je compris qu'il était fatigué. Nous parlions
depuis longtemps et je lui avais demandé de gros
efforts de mémoire.
– Je vais prendre congé, dis-je en me levant à mon
tour, et je ne sais comment vous remercier.
– Oh! je ne vous ai pas appris grand-chose, et je
crains même vous avoir peiné à un moment.

– Ce n'est rien. Même cette révélation au sujet des silences de mon père m'aidera dans mes recherches, comme m'aideront toutes les questions que vos propos ont fait naître.

– Je vous souhaite bonne chance. Au fait, vous avez écrit à beaucoup d'anciens du camp ?

– Une trentaine. Neuf, dont vous, m'ont répondu. Mais vous êtes le seul qui se souvienne de mon père.

– Soyez confiant, d'autres vous répondront. J'en suis sûr, et ils vous en apprendront beaucoup plus que moi. Oui, ayez confiance, votre père n'était pas de ceux que l'on oublie, il avait trop de... de présence pour cela. Et aussi un sourire inoubliable.

Il se tut, m'observa, puis parut soudain touché par une révélation d'une telle évidence qu'il s'en voulait de s'en apercevoir si tardivement.

– Suis-je bête, murmura-t-il, et aveugle ! Suis-je bête ! Votre père avait surtout les mêmes yeux bleus que vous ! Voilà ce qui me gênait un peu au début de notre conversation : votre regard, c'est le sien !

Huit autres lettres me parvinrent dans le mois qui suivit. Six me disaient que le nom de Leyrac ne rappelait rien aux auteurs des réponses. Quant aux deux dernières, très longues, elles ne m'apprirent rien, sauf les épreuves assez complaisamment narrées, subies par mes correspondants ; lesquels, en conclusion, m'assuraient n'avoir jamais entendu parler d'Adrien Leyrac ; l'un d'eux doutait même de son séjour à Dachau !

– Je crois que je peux faire une croix sur ce système de recherche, dis-je à Josyane, je ne pense pas
qu'il y ait d'autres réponses, ou alors elles seront
négatives, comme celles-là... D'ailleurs, je ne vois pas
comment on pourrait se souvenir d'un homme qui
poussait le mutisme jusqu'à ne parler ni de sa femme
ni de son fils!

– Dans le fond, c'est surtout ça qui te tracasse,
hein? Et qui te tracasse depuis ta rencontre avec
l'abbé Lebrun. Je vois bien que tu ne rumines que
ça! dit-elle.

Il était plus de minuit et je venais juste d'aller la
chercher à la gare d'Austerlitz. Nous étions à la mi-
novembre, et Jo, profitant de l'alibi imparable que
lui avait fourni David en s'offrant tour à tour une
mauvaise otite et une bronchite non moins carabinée,
avait pris quelques jours de vacances à Saint-Libéral
avec lui.

– Tu comprends, l'air de Paris ne lui vaut rien,
c'est manifeste! m'avait-elle dit, pour justifier son
départ, avec ce culot typiquement Vialhe qui est
capable de déplacer des montagnes. Alors, je vais
aller lui faire respirer le bon air de chez nous, ça lui
fera le plus grand bien! En Corrèze, au moins, ne
traînent pas tous les microbes et toutes les saletés que
les gamins ramassent ici; il est vrai que, dans les
squares, il y aura bientôt plus de toutous à leur
mémère que d'enfants! Et puis les parents seront
ravis de notre visite. Et bonne maman aussi. Et les
tantes...

— Et les voisins! Et tout Saint-Libéral! Et toi aussi!

— Ne sois pas taquin! D'accord, moi aussi, mais, promis, je ne pars qu'une petite semaine. D'ailleurs je ne vois pas en quoi ça te gênerait : tu t'absentes, toi aussi, deux jours sur trois!

C'était vrai.

Maintenant de retour, avec une mine aussi éblouissante que celle de David, elle voulait savoir, malgré l'heure avancée, si mon enquête avait progressé et elle paraissait attristée qu'il n'en fût rien.

— Oui, insista-t-elle, je pense que tu as tort de te monter la tête avec ce que t'a dit l'abbé Lebrun. Ce n'est pas parce qu'il ne parlait ni de ta mère ni de toi que ton père s'était désintéressé de vous! Son silence n'était sans doute que prudence, comme te l'a dit l'abbé. C'était pour vous protéger, ta mère et toi.

— Admettons... Mais c'est quand même étrange. Bon, tu es gentille, mais parlons d'autre chose. Quoi de neuf à Saint-Libéral? Tes parents?

— Ça va. Ils étaient aux anges, tu penses! D'autant que ton fils leur a fait une de ces fêtes!

— Normal, il est aussi charmeur que toi! Et les autres?

— Ça va, enfin...

— Quoi? Ta grand-mère est malade? Une de tes tantes?

— Non, non, personne. Mais tu sais, Saint-Libéral, c'est formidable en été, mais en cette saison c'est plutôt sinistre... On ne peut vraiment pas dire que les jeunes s'y bousculent et que l'animation soit exubérante! Enfin, heureusement que le bonheur des parents fait plaisir à voir quand ils ont leur petit-fils, que l'air est excellent, la nourriture succulente et que j'avais un bon roman pour passer mes soirées, parce qu'autrement... Bref, là-bas, il n'y a plus que des vieux, et même des très vieux!

– On dit : des personnes du troisième âge, ai-je plaisanté.

– Si tu veux. Il n'empêche que, pendant huit jours, David a fait baisser la moyenne d'âge. Elle en a rudement besoin, crois-moi! Ah! au fait, tu as les amitiés de Félix. Oui, il est descendu le 1er novembre à Saint-Libéral pour aller sur la tombe de sa mère. Je lui ai parlé de tes recherches et il t'approuve tout à fait de vouloir les conduire : " Moi, m'a-t-il dit, je suis comme ton mari, je n'ai jamais connu mon père ; mais, grâce à ma mère et à tes grands-parents, je n'ai jamais rien ignoré de lui et cette connaissance m'a toujours aidé. "

J'aime beaucoup Félix, ce grand cousin de Jo. D'ailleurs, à la belle saison, il nous arrive d'aller lui rendre visite dans sa petite maison forestière nichée au cœur de la Brenne. Félix est un homme solide, très sain et de bon conseil. Comme il le dit lui-même, il a beaucoup plu sur sa tête et sa vie ne fut pas facile. Mais il n'est pas aigri, et c'est un vrai plaisir de l'entendre parler aussi bien de son ancien métier de garde-forestier que de sa guerre dans les Forces françaises libres, ou même de pêche, d'ornithologie, de

botanique ou de politique! Il est un peu plus âgé que
ne le serait mon père, mais il me plairait beaucoup
d'apprendre que celui-ci lui ressemblait.

— Et ton oncle Jacques? Et ta tante Michèle? Et
Coste-Roche?

Jo haussa les épaules, fit la moue:

— Couci-couça. Ils prennent de l'âge, eux aussi, et
ça se voit...

— Pourtant, ils étaient plutôt en forme, l'été dernier.

— Oui, tu as raison, le changement d'orientation
les avait encouragés, presque rajeunis; il faut croire
que ça n'a pas suffi...

Je ne connais pas grand-chose à l'agriculture ni à
l'élevage, et je n'y comprends rien non plus, mais je
sais que l'oncle de Jo, juste après le décès de son père,
s'est lancé dans un élevage de bovins sélectionnés. On
en a beaucoup parlé dans toute la famille et aussi à
Saint-Libéral. Il élève moins de bêtes, mais ses
limousines, toutes inscrites au herd-book, sont
paraît-il magnifiques. Même Jo l'affirme, et je la
crois sur parole.

— Oui, franchement, reprit-elle, je les ai trouvés
un peu fatigués, moins enthousiastes. Mais il est vrai
qu'oncle Jacques va vers la soixantaine, qu'il a déjà
beaucoup donné à la terre et que son accident de trac-
teur et son opération de l'été 76 ne l'ont pas arrangé.
Mais tu vois, même s'il faisait semblant de plaisanter
en me le disant, ça m'a fait un peu mal de l'entendre
me dire: " Moi, je suis bon pour la relève, mais c'est
elle qui n'est pas prête... "

– Ah ça ! Je suis de plus en plus persuadé qu'il s'était fait des illusions à ce sujet.

– Moi aussi. D'ailleurs, ce qu'il m'a dit, c'est presque un aveu. Mais on ne peut quand même pas reprocher à Dominique de ne pas être pressé de prendre la succession !

– Certainement pas, ce serait idiot !

Comme Jo et ses sœurs, et comme Françoise, la sœur de Dominique, chercheuse à l'I.N.R.A., je comprends très bien que Dominique, l'aîné des petits-fils Vialhe, l'ingénieur agronome de la famille, ne puisse et ne veuille abandonner un poste et un pays où il semble tant se plaire. Ça doit le changer de la Tunisie, où il a travaillé je ne sais combien d'années. Mais il a eu sûrement raison de résilier son contrat avec une de ces maffias de l'agro-alimentaire multinationale qui l'exploitait. D'ailleurs, pas fou, il n'a rien fait avant d'avoir assuré ses arrières. Et je n'oublie pas à quel point il était ravi d'embarquer, avec femme et enfant, en direction de la Nouvelle-Calédonie. D'après ses lettres, il a décroché là-bas une place de gérant dans une immense exploitation : trois mille hectares, sur lesquels paissent quelque quinze cents bêtes qui, comble de bonheur pour un Corrézien comme lui, sont toutes des limousines. Alors, bien sûr, avec ses vingt ou vingt-cinq bêtes de Coste-Roche, son père fait petite figure et l'ensemble de la propriété Vialhe plutôt minable ! Mais Dominique a l'air pleinement heureux. Et Béatrice aussi ; la preuve, ils viennent de commander une petite sœur pour Pierre! Alors, à mon avis, même si je suis béotien en la matière, si Dominique revient un jour s'occuper de la ferme, ce ne sera pas avant des années. Quant à l'autre petit cousin, Jean, lui aussi passionné par l'agriculture et qui poursuit à son tour des études d'agronomie, il n'a plus le temps d'aller à Saint-Libéral aussi souvent qu'il le voudrait, et comme l'oncle Jacques s'était habitué à ses visites et à son aide...

— Et ta grand-mère, elle va bien?

— Ça va; enfin, aussi bien que possible. Mais, tu sais, elle et mon grand-père formaient un tel couple que j'ai toujours de la peine en le voyant brisé... Enfin, toute la famille t'embrasse. Et ici, pendant mon absence, à part ces dernières lettres qui ne peuvent te satisfaire, quoi de neuf?

— Rien, la routine, le travail.

— Et que vas-tu faire?

— Dans l'immédiat? Me mettre au lit avec toi!

— Non, je ne plaisante pas, dit-elle en se débattant sans aucune conviction, je parle sérieusement. Que comptes-tu faire pour que tes recherches avancent? Tu ne vas quand même pas abandonner? Tu ne te le pardonnerais jamais?

— Abandonner? Non. Mais, si le sort ne s'en mêle pas, je ne vois vraiment pas comment je trouverai ce que je cherche.

« Ce ne fut pas le sort, mais les retombées de ma lettre, un peu lancée comme une bouteille à la mer, qui me donnèrent enfin la clé du passé.

Un soir de la fin novembre, alors que je venais de rejoindre Jo, déjà couchée et qui m'attendait en lisant, la sonnerie du téléphone la fit soudain bondir hors du lit.

— Cette andouille va me réveiller le petit ! ragea-t-elle en se précipitant vers l'appareil. Oui ? fit-elle d'un ton peu engageant tout en remontant sur son épaule une vagabonde bretelle de sa chemise de nuit, oui ? oui ? Qui ? Je vais voir s'il est rentré... C'est un homme, je n'ai pas compris son nom, chuchota-t-elle après avoir posé la main sur le microphone. Tu es là, ou pas ?

J'acquiesçai, me levai et pris le combiné.

— Monsieur Leyrac ? Christian Leyrac ?

La voix me parut encore jeune, énergique, décidée.

— Oui.

— Je m'excuse de vous appeler si tard, mais je pense que vous ne le regretterez pas. Je m'appelle Jean Salviac, je viens d'apprendre, ce soir même, que vous cherchiez des renseignements sur votre père, Adrien Leyrac, c'est exact ?

— Tout à fait, dis-je. Vous étiez avec lui à Dachau ?

Déjà mon pouls s'était accéléré.

— Non. Mais j'ai dîné, ce soir, avec un ancien déporté de Dachau, un vieil ami. C'est lui qui m'a appris qu'un de ses camarades avait reçu votre lettre. Votre démarche a intrigué cet homme et, même s'il n'a aucun souvenir de votre père, il en a parlé autour de lui. C'est ainsi que mon ami a entendu le nom de Leyrac et, comme il connaissait bien mes relations avec votre père, il m'a fait part de vos recherches.

— D'accord, dis-je prudemment, mais je ne vois pas encore le rapport avec vous...

— Il est simple, très simple. Votre père était mon meilleur ami, presque mon frère, nous avons été élevés ensemble. Nous avons fait nos études ensemble, à Bordeaux. Je fus témoin à son mariage et nous appartenions au même mouvement, pendant la Résistance.

— Ah..., soufflai-je en notant que Jo me regardait avec inquiétude. Je compris que j'avais dû un peu pâlir et la rassurai d'un signe de la main.

— Vous êtes toujours là..., Christian ?

J'observai que la voix de mon correspondant s'était un peu voilée, cassée.

— Oui, bien sûr. Quand pouvons-nous nous rencontrer ?

— Quand vous voudrez.

— Vous habitez Paris ? Je peux venir tout de suite si vous voulez, malgré l'heure !

— Oh non ! je vous téléphone de chez moi, j'habite dans le Médoc !

— Ah ? Peu importe, quand puis-je vous voir ?

— Quand vous voudrez, répéta-t-il.

— Demain ?

— Pourquoi pas ! Mais faites attention, la route est longue depuis Paris, et on signale du brouillard un peu partout.

— Je serai prudent. Mais votre adresse exacte?

— C'est très simple, j'habite sur la route qui va de Cantenac à Margaux, à côté d'Issan. Vous ne pouvez pas vous tromper; à mi-chemin vous verrez le domaine, c'est indiqué : « Château Armandine, Jean Salviac, propriétaire. »

— Très bien, dis-je en prenant note, je serai chez vous demain dans l'après-midi. Au fait, lançai-je soudain car les propos de l'abbé Lebrun venaient de me revenir en mémoire, est-ce que mon père allait parfois chez vous, avant-guerre?

— Je vous ai dit que nous avions été élevés ensemble. Votre père a habité au domaine de 1919 à 1935, date de son installation à Paris. Mais je vous expliquerai beaucoup mieux de vive voix.

— Sûrement, murmurai-je, estomaqué par ce soudain flot d'informations. Sûrement. Bon, je serai chez vous demain après-midi. Et merci, merci surtout!

— On dirait que tu viens d'être en communication avec Dieu le Père lui-même! plaisanta Jo en me voyant revenir vers le lit.

— Presque. En trois minutes je viens de faire la connaissance d'un monsieur qui m'assure tout savoir sur mon père, presque depuis sa naissance! C'est fou, non? Et je ne sais même pas qui il est, ni d'où il sort! Mais s'il dit vrai, et je crois que c'est le cas, il peut tout, tu entends, tout m'apprendre sur mon père! Il m'a dit qu'ils avaient été élevés ensemble et qu'ils étaient ensemble dans la Résistance! Tu imagines? Et ma mère ne m'a jamais parlé de ce monsieur, rien, pas un mot sur lui, pas une allusion! Il était pourtant témoin à leur mariage! Bon sang, ça ne s'oublie pas!

— Ne t'occupe donc pas de ce que t'a dit, ou pas dit, ta mère, elle avait sûrement ses raisons!

— Oui, mais j'aimerais les connaître!

— Tu y vas demain?

— Bien sûr. Tu penses bien que je ne veux pas attendre un jour de plus! Et puis ça tombe on ne peut mieux, c'est samedi.

— Et tu rentres quand?

— Demain soir, ou plutôt dans la nuit.

— Tu vas être crevé. Et puis tu crois que quelques heures suffiront pour que ce monsieur t'apprenne tout ce que tu veux savoir?

— Non, sûrement pas. Mais l'essentiel, c'est de prendre contact sans plus attendre. Maintenant, je sais où je vais! »

6

« Trois heures vingt, encore trois heures avant que le soleil se lève et quatre avant que l'abruti de service apporte le jus... », pensa Christian.

Il n'avait pas dormi, tout absorbé par les souvenirs qu'il venait de remuer et aussi trop marqué par les lugubres plaintes qui l'avaient jeté au bas de sa couche une heure plus tôt. Les cris n'avaient pas repris ; mais il redoutait tellement de les entendre à nouveau qu'il était tendu, prêt à bondir jusqu'à la fenêtre.

De plus, la peur qui l'habitait depuis leur arrestation et qu'il tentait de maîtriser était en train de grandir, attisée par la fatigue, le manque de sommeil, l'appréhension des heures à venir et surtout l'inoubliable souvenir de ces pleurs de femme s'élevant dans la nuit. La peur était là, douloureuse, tapie en lui comme un abcès en train de mûrir.

« Si au moins j'avais pu dormir comme l'ami Paul, j'aurais pu oublier tout ça pendant quelques heures.

Et je n'aurais pas entendu les cris de tout à l'heure, ils n'ont pas réveillé Paul... »

Mais cette idée d'avoir pu sommeiller alors qu'une femme souffrait à quelques mètres de lui ne le satisfaisait pas, elle le heurtait même : « Autant s'empiffrer devant un gosse qui meurt de faim ! »

Aussi, malgré l'épuisement qui l'affaiblissait peu à peu, craignant de succomber à la fatigue et d'être surpris en plein sommeil par de pitoyables gémissements, il se leva, tituba jusqu'à la fenêtre et attendit que coulent les heures.

*

Parti de Paris à l'heure où les éboueurs commençaient leur tournée, j'arrivai à Cantenac vers quatorze heures. Un faible soleil teintait de jaune pâle les vignobles dépouillés et noirâtres du Médoc. Et, plus j'approchais de la propriété de Jean Salviac, plus me revenait en mémoire l'interrogation que Jo m'avait lancée lorsque je lui avais fait part de mon désir de rechercher mes racines : « Même au risque d'être déçu ? » m'avait-elle plusieurs fois demandé. Me revenait aussi l'avertissement de tante Berthe me prévenant que j'allais découvrir le mal. C'était en partie fait grâce aux confidences de l'abbé Lebrun, mais rien ne prouvait que le pire n'était pas encore à venir...

Pourtant, la voix et les propos de Jean Salviac m'avaient semblé posés, calmes. Malgré cela, c'est avec une anxiété qui n'était peut-être que le reflet de mon émotion que j'aperçus le panneau : « Château Armandine, Jean Salviac, propriétaire. »

Située au bout d'une allée ouverte au cœur des vignes et que bordait une haie bien taillée de rosiers, la demeure n'avait rien d'un château. C'était une solide maison qu'entouraient deux hangars modernes et un long bâtiment en pierre de taille et tuiles plates, sans doute le chai.

Un gros chien noir et roux, de race indéterminée, aboya sans aucune conviction dans ma direction lorsque j'arrêtai la voiture sous un énorme marronnier. Estimant sans doute que je n'avais ni l'allure ni l'odeur d'un malfrat, le chien trottina jusqu'à moi sans aucune intention belliqueuse ; il flaira mon pantalon, accepta ma caresse avec une allègre reconnaissance caudale et repartit vers sa niche poursuivre sa sieste interrompue.

C'est alors que Jean Salviac sortit sur le perron et vint à ma rencontre. Grand, solide, bien bâti, il m'apparut beaucoup moins âgé que je ne me l'étais représenté. Puis je me souvins que, s'il était du même âge que mon père, il avait tout au plus soixante-trois ans. Il s'arrêta à deux mètres de moi, me regarda longuement, et j'eus alors la certitude que son regard brillait beaucoup plus qu'à l'accoutumée :

— C'est vous, Christian, dit-il enfin, et ce n'était pas une question. Bien sûr que c'est vous, reprit-il, vous avez les mêmes yeux qu'Adrien, exactement les mêmes !

C'était la première fois de ma vie que j'entendais quelqu'un appeler mon père par son prénom. J'en fus tellement ému et touché que j'en restai muet et ne sus rien faire d'autre que de sourire niaisement et d'avancer vers Jean Salviac.

— Enfin, vous voilà! Tout arrive! murmura-t-il en m'étreignant la main et l'avant-bras de ses deux mains. Tenez, je vous présente mon épouse, dit-il en se tournant vers une femme à la soixantaine coquette et au charme apaisant; elle avait dû être belle et restait très gracieuse.

— Si vous saviez le plaisir que vous lui faites! Depuis hier soir, il est comme un gamin la nuit de Noël : il attend! dit-elle.

— Entrons, dit Jean Salviac en posant naturellement le bras autour de mes épaules et en m'entraînant vers la maison.

Un grand feu de sarments et de chêne craquetait dans la vaste cheminée de la salle où nous entrâmes.

— Avez-vous déjeuné au moins? demanda Mme Salviac.

— Oui, oui, merci.

— Alors je vous laisse avec mon époux. Je sais qu'il a beaucoup de choses à vous dire, et comme il me les a racontées plus de mille fois!... A tout à l'heure.

— Vous voulez peut-être un café? proposa Jean Salviac en m'invitant à m'asseoir dans un Chesterfield patiné par les ans et qui embaumait le cuir bien lustré. Cela étant, poursuivit-il, j'ai pensé qu'un verre ou deux, de bon vin, ne vous déplairaient peut-être pas...

112

— Volontiers, monsieur. Enfin je veux dire : pour
le vin...

— Votre père aurait fait le même choix, alors j'ai
prévu le coup ! avoua-t-il en puisant délicatement
dans un panier une bouteille déjà débouchée à l'étiquette tavelée par les ans. Château Armandine 1955,
annonça-t-il, une grande année, très grande ; alors
dégustons d'abord, ensuite nous parlerons. Mais si ça
ne vous gêne pas, et pour simplifier, appelez-moi
Jean, comme le faisait votre père, ça me rappellera
tant de souvenirs...

— Si vous n'en savez pas plus sur votre père, le
mieux sera que je commence au tout début, dit Jean
après avoir posé une nouvelle bûche dans l'âtre.

Il venait de m'écouter sans rien dire, se contentant
parfois de hocher la tête comme pour approuver les
quelques modestes déductions que je m'autorisais à
faire en m'appuyant sur le récit de l'abbé Lebrun.

Fait étrange, qui me surprit — mais je tâchai de
n'en rien laisser paraître —, la phrase que ma mère
m'avait tant serinée : « Ton père a voulu faire de la
Résistance et il en est mort » n'entraîna aucun signe
d'étonnement de sa part, pas même un cillement. De
même parut-il trouver très normal que mon père
n'ait jamais parlé de ma mère et de moi à l'abbé
Lebrun.

— Je vais donc commencer par le début, reprit-il
en prenant place en face de moi, dans le deuxième

fauteuil. Un peu plus de vin ? Allez, ne me dites pas qu'il n'est pas exceptionnel : il provient d'une vigne que votre grand-père a fait planter en 1937, eh oui! Le monde a beau être très grand, il peut aussi être tout petit : la preuve, vous êtes là! s'amusa-t-il en voyant ma stupéfaction. Mais comment voulez-vous que votre père ait été élevé en même temps que moi, comme je vous l'ai dit hier soir, si ce n'est parce que votre grand-père Marcelin, juste après son veuvage, donc en 1919, a confié son fils à ma mère – c'était une de ses amies d'enfance – et à ma grand-mère Rosemonde qui était sa marraine ?

– Donc ils se connaissaient tous depuis long-temps ? Ils étaient amis ? essayai-je pour ne pas paraître trop dépassé par les événements.

– Amis ? C'est peu dire! Pensez, votre arrière-grand-père, oui, Antoine Leyrac, celui dont vous avez perdu la trace en Corrèze, « l'Américain » comme vous dites, eh bien, c'est avec mon propre grand-père Martial, Martial Castagnier, qu'il était parti au Chili dans les années 1870.

– Mais... Vous ne vous appelez pas Castagnier! dis-je assez sottement car je perdais de plus en plus pied.

– Non, et pour cause. Mes grands-parents n'ont eu qu'une fille, ma mère, née à Santiago du Chili en 1876, décédée à Bordeaux en 1952. Elle s'était mariée en 1902 avec mon père, Félicien Salviac, négociant en vins, et propriétaire lui aussi. Ils eurent d'abord deux filles, mortes en bas âge et que je n'ai pas connues. Et moi, je suis né en 1915, comme votre père. Ma mère se prénommait Armandine, d'où le nom du « Château » que mon grand-père Martial avait acquis dans les années 80 et où il est venu finir sa vie et mourir en 1903, à cinquante-neuf ans. Il faut dire qu'il s'était beaucoup dépensé. Outre ses affaires au Chili, il fut de ceux à qui on doit le percement du canal de Panamá, c'est dire !

— Comme mon arrière-grand-père alors ?

— Exactement. Ils travaillaient ensemble.

— C'est fou ! Voilà que j'apprends tout à la fois, et ce n'est qu'un début ; mais j'ai un peu peur de me perdre dans tous ces méandres familiaux.

— C'est normal. Nous ne sommes pas de la même génération, et c'est ce qui obscurcit un peu votre vision sur cette période. Mais, si Dieu l'avait voulu, votre père vous aurait raconté tout ça en son temps, quand vous étiez enfant, à l'âge où l'on aime sentir du solide autour de soi. Vous auriez appris cette histoire petit à petit, et alors rien ne vous aurait paru compliqué.

— Peut-être, mais là... Et puis pourquoi est-ce à votre mère, c'est bien votre mère, oui ? qu'on a confié mon père ?

— C'est simple. Veuf, seul en France et sans vouloir revenir au Chili où était pourtant restée ou repartie toute sa famille, votre grand-père s'est installé à Bordeaux pour y gérer l'affaire commerciale – importante d'ailleurs – jadis créée par mon grand-père, mais dans laquelle les deux familles – Castagnier et Leyrac – avaient des intérêts. De plus, sa formation d'agronone, spécialiste de la vigne, ne l'oubliez pas – il avait fait l'école nationale d'agriculture de Montpellier –, le prédisposait à diriger ce domaine. C'est donc tout naturellement et puisqu'il vivait en partie ici qu'il a confié son fils à ma mère. A leurs yeux, c'était on ne peut plus logique.

– Bon, je commence à mieux comprendre ce premier point. Mais que faisaient mes arrière-grands-parents pendant ce temps?

– Ils étaient rentrés en France, vers 1900, je crois, et ils se sont installés dans cette maison que vous avez retrouvée en Corrèze. J'ai su, par votre grand-père Marcelin – oui, n'oubliez pas que je l'ai très bien connu –, que votre arrière-grand-père était décédé en 1915; il avait donc pu revoir son fils, retour en France pour s'y engager, mais ça, vous m'avez dit le savoir.

– Oui, ma mère me l'avait expliqué.

– Alors, la guerre aidant, et votre arrière-grand-mère se retrouvant seule – elle s'appelait Pauline –, elle a préféré revenir au Chili où vivaient toujours deux de ses enfants; je crois qu'elle est décédée là-bas en 29 ou 30.

– Ça m'explique encore moins! Puisqu'il y avait de la famille, pourquoi mon grand-père n'est-il pas reparti au Chili après la guerre, avec mon père, bien sûr?

– Oh, c'est très simple, sourit Jean en reversant un demi-doigt de vin dans chaque verre. Comme beaucoup, j'ai fini par apprendre cette histoire. Elle se chuchotait avant la dernière guerre, et même un peu après. Bordeaux est une ville très fermée qui aime beaucoup les petits secrets de famille. Voilà, peu après son veuvage, votre grand-père est tombé amoureux fou d'une jeune femme, paraît-il superbe, une vraie beauté. Elle était beaucoup plus jeune que lui. Pensez, il ne devait pas être loin des cinquante ans et elle en avait à peine vingt-cinq! Plutôt moins, même...

— C'est amusant, murmurai-je, on a toujours du mal à imaginer que de pareils coups de foudre aient pu toucher un aïeul que, par principe, on se figure toujours chenu!

— Effectivement. Mais la différence d'âge n'était qu'un détail. Il y avait bien d'autres problèmes! D'abord cette jeune personne était la fille unique d'une des familles les plus fortunées de la région, et, par ici, ça implique beaucoup d'obligations et de devoirs. Ajoutez à cela qu'elle était veuve.

« Vous me direz, en France, à cette époque, ce n'était pas original! Ce qui l'était un peu plus c'est que son défunt mari, au lieu d'être un brave poilu de base, mort bêtement et sans faire des chichis le nez dans la boue, était, paraît-il, un modèle du genre; avec des ancêtres qui remontaient à Saint-Louis, ou plus loin, officier, ça va de soi, cavalier, naturellement! Il avait dû, à lui seul, faire massacrer quelques centaines de pauvres bougres qui avaient eu l'insigne honneur de servir sous ses ordres. Ce qui lui avait valu d'être couvert de décorations et, pour finir, coupé en deux par un obus! Les mauvaises langues de Bordeaux assuraient que ses culottes et ses bottes avaient continué toutes seules la charge sur le cheval indemne! Bref, un héros! Et croyez-moi, dans les années 20, c'était assez lourd à porter d'être la veuve d'un héros. Et d'autant plus qu'elle avait mis au monde, deux ans plus tôt, un fils de héros! Ça crée des devoirs... Mais ça donne aussi un statut, une honorabilité enviable, les deux pouvant devenir très difficiles à assumer.

— Je vois. Mais alors, justement, un repli vers le Chili m'aurait semblé tout naturel, avec cette jeune beauté, bien entendu.

— Pas si simple. On peut très bien être amoureuse, et il paraît qu'elle l'était de votre grand-père et le resta, sans pour autant vouloir quitter un état, une situation, une ville. Elle n'a jamais voulu se remarier, à cause de son fils de héros, paraît-il, ce qui est très respectable en soi. Et jamais non plus quitter Bordeaux, ce qui dénote un tempérament un brin casanier.

— Et mon grand-père a marché dans cette combine à la Feydeau? dis-je, déçu, car je trouvais peu glorieux ce rôle obscur d'amant clandestin.

— Il faut croire que oui puisqu'il est resté en France.

— Quand je pense que je le croyais plus ou moins brouillé avec ma mère parce qu'elle s'était remariée! Eh bien... Enfin, tout compte fait, qu'importe!

— Vous avez raison, qu'importe.

— Et il n'est donc jamais retourné au Chili ?

— Si, il y a fait deux ou trois sauts, avant guerre, pour des raisons professionnelles ou familiales, mais je n'en sais pas plus.

— Et savez-vous s'il y a encore des Leyrac, là-bas ?

— Je l'ignore. Pour le savoir, il aurait fallu que je continue, après 1943, à voir votre grand-père aussi souvent qu'avant. Mais, votre père une fois arrêté et décédé, ça m'est devenu impossible.

— Pourquoi ?

— C'est tout un contexte. Disons que moi j'étais vivant et que votre père... Mais il faut connaître toute l'histoire pour comprendre, et c'est pour ça que vous êtes là.

— J'espère que vous ne comptez pas rentrer ce soir à Paris ? s'inquiéta soudain mon hôte après quelques instants de silence pendant lesquels il était resté pensif devant le feu.

— Il n'est que trois heures et quart, dis-je, je peux rester jusqu'à dix-sept heures et prendre la route ensuite ; ça m'amènera vers deux heures du matin à Paris, ce n'est pas terrible.

— Non, mais ce n'est pas prudent. Nous aurons du brouillard, ce soir. Regardez, il monte déjà, dit-il en désignant les vignobles qui encerclaient la maison.

En effet, par petites taches sournoises et rampantes, naissaient, au ras du sol, de cotonneuses et folâtres mèches de brume blême.

119

— Et puis, ajouta Jean, je n'aurai jamais le temps de tout vous expliquer si vous partez si tôt. Voyez, nous n'avons parlé que de vos aïeux et même pas de votre père!

— Oui, mais... J'avais prévu de rentrer cette nuit, et Jo, enfin je veux dire ma femme...

— Vous allez lui téléphoner, décida-t-il, je suis certain qu'elle comprendra, elle sera même rassurée. Et ce soir vous dînerez ici et vous y coucherez aussi. Mais si! Vous ne pouvez absolument pas refuser de dormir dans la chambre qui fut, si longtemps, celle de votre père avant de devenir celle de notre fils aîné et maintenant de nos petits-enfants, pendant les vacances. Allez, insista Jean, passez un coup de fil à votre épouse et reprenons notre conversation.

Jean avait raison. Jo fut rassurée d'apprendre que je ne rentrerais pas dans la nuit car, m'annonça-t-elle, la météo prévoyait du brouillard un peu partout.

— Vous avez vu juste; il paraît que le brouillard menace une partie du Sud-Ouest, dis-je en revenant dans la salle de séjour où m'attendait Jean, debout devant l'âtre.

— Ça ne m'étonne pas. Regardez comme ça épaissit dehors, depuis tout à l'heure. Bientôt, on ne verra même plus le bout de nos vignes!

— Vous avez une propriété importante?

— Ma mère avait, entre autres, quatorze hectares dans sa corbeille de noces. Mais c'était au temps où le phylloxéra venait de faire des dégâts considérables. A son mariage, mon père a apporté quelques hectares de plus, situés de l'autre côté de la route que vous avez empruntée en venant, ça n'a rien gâté... Bref, situés comme nous le sommes entre Margaux, Labarde, Cantenac et Issan, le château Armandine se révèle un des excellents placements que mon grand-père Martial sut faire à la fin du siècle dernier ; un placement très supérieur à ceux qu'il fit au moment de Panamá... Enfin, tout ça est bien lointain. Et maintenant, si nous parlions de votre père ?

— Je suis là pour ça.

— Ah ! votre père..., murmura-t-il, votre père, Adrien ! Si vous saviez le nombre de tripotées que nous nous sommes mises ! Incroyable ! Et pourtant nous étions inséparables : ce qui appartenait à l'un était aussi à l'autre, mais ça n'empêchait pas des empoignades sévères ! Vous comprenez, il y avait entre nous comme une permanente compétition. Et le fait qu'elle soit pipée à la base, puisque j'étais quand même le fils de la maison, ne changeait rien ! Il se trouvait que votre père avait quatre mois de plus que moi. Oui, il était de fin mai et je suis de septembre. Eh bien, croyez-moi, il a toujours essayé d'en tirer profit ! Je dois dire qu'en matière de mauvaise foi il était imbattable ! La preuve, il tentait toujours d'obtenir les avantages dus, pensait-il, à son titre d'aîné ! Et, parallèlement, il ne manquait jamais de rappeler que mon père, de douze ans plus âgé que le sien, n'avait pas fait la guerre ! C'était un argument massue dans les années 20 !

121

— Votre père était si âgé que ça?

— Oui, il était de 60, il avait seize ans de plus que ma mère. Il avait donc cinquante-quatre ans en 14 et était, paraît-il, déjà perclus d'arthrose. En revanche, votre grand-père, qui était de 72, avait fait toute la guerre. N'oubliez pas qu'il avait quitté le Chili tout exprès. Il avait même été blessé, pas très gravement, mais suffisamment pour que votre père me rebatte les oreilles avec tous les faits d'armes, les mérites et toutes les décorations de votre grand-père! Ah, je vous jure, j'en ai entendu! s'amusa Jean avant d'ajouter en riant : C'est sûrement de cette époque que remonte mon antimilitarisme chronique! Cela étant, Adrien et moi étions inséparables, de vrais frères! Il faut dire aussi que l'absence d'homme dans la maison nous poussait à un certain nombre de bêtises qu'une solide poigne paternelle eût très certainement modéré.

— Mais. Et votre père?

— Il est décédé quand j'avais douze ans et, avant, le pauvre homme était bien incapable de courir derrière nous!

— Et mon grand-père?

— Il était souvent là, mais surtout pour gérer le domaine. Et puis n'oubliez pas ce que je vous ai dit : il y avait à Bordeaux une très jeune et très belle veuve qu'il ne se serait jamais permis de négliger; il rentrait donc très tard, quand il rentrait...

— Et votre mère?

— Oh! Elle nous expédiait bien quelques claques,

par-ci, par-là, quelques coups d'osier à panier, oui, ça fait des garcettes tout à fait cinglantes. Mais c'était rare, et il fallait vraiment que nous ayons passé la mesure. Comme ce jour, en 27 ou 28, où votre père et moi avions enfermé le chat dans le four de la cuisinière sous prétexte de le faire sécher! Il est vrai qu'un peu plus tôt nous l'avions sournoisement poussé dans une cuve où fermentaient quelques hectolitres d'une excellente vendange de cabernet-sauvignon et de merlot... Oui, c'était bien en 28, un très grand millésime!

— En fait, si je comprends bien, bêtises comprises, vous avez eu une enfance tout à fait comparable à celle de tous les enfants de famille, disons, à l'aise?

— Oui, la définition est bonne. Mes parents gagnaient bien leur vie, et votre grand-père aussi; ils n'étaient pas richissimes; ils étaient aisés, comme vous l'avez dit, et nous n'avons donc jamais manqué de rien.

— Bon, et mis à part les bêtises avec mon père, quel chemin avez-vous pris tous les deux?

— Bonne question. Les chemins? Ils furent identiques, à peu de chose près, jusqu'au baccalauréat, que nous avons passé ensemble en 1932. Il faut aussi savoir que l'année de nos douze ans, qui fut pour moi celle du décès de mon père, ma mère et votre grand-père ont décidé d'un commun accord de nous expédier en pension à Bordeaux.

« Ce fut un peu dur, surtout au début. Et d'autant plus que l'établissement à qui nous avions été confiés était tenu par des ecclésiastiques qui ne badinaient pas plus avec l'application des dix commandements qu'avec le règlement du collège! Nos maîtres avaient à cœur de nous éduquer, au sens dressage du terme, vous voyez ce que je veux dire. La contestation n'était pas, mais alors pas du tout reconnue! Les punitions, assez souvent corporelles, sanctionnaient les incartades que quelques inconscients ou fortes têtes s'autorisaient parfois. Avec votre père, nous naviguions entre les deux catégories, ce qui veut dire que nous eûmes, l'un et l'autre, notre lot de pensums et autres désagréments... Bah! ça fait des souvenirs et nous n'en sommes pas morts! Et puis, pour ce genre d'école, c'était une pédagogie on ne peut plus banale à l'époque; aussi banale que l'uniforme auquel il n'était pas question d'échapper ou d'agrémenter de la moindre fantaisie; sans oublier la confession obligatoire tous les samedis et la messe du dimanche qui ne l'était pas moins! Mais je vous vois ouvrir de grands yeux; ça vous surprend?

— Un peu. Moi, ma mère m'a mis au lycée, alors... Et puis, surtout, j'ignorais que mon père avait reçu ce genre d'éducation. Voyez, j'ai été jusqu'à demander à l'abbé Lebrun si mon père était catholique! Il m'a répondu quelque chose comme : « Peut-être pas au sens orthodoxe du terme, mais chrétien sans doute et croyant sûrement. »

— C'est une bonne réponse, j'aurais fait la même. Car, au sujet de cette formation que nous avons reçue et qui était très orientée, cléricale, une chose est certaine : à cause de la guerre, votre père et moi avons pris du recul par rapport à tout cela. Comme beaucoup, nous avons été choqués par la compromission d'une partie de l'Église de France avec les thèses pétainistes, et ce, même après l'invasion de la zone Sud ! Heureusement qu'il s'est trouvé des prêtres et des évêques pour jouer les francs-tireurs, sans jeu de mots, se lancer dans la Résistance et sauver l'honneur, parce que la majorité...

— Oui, c'est ce que j'ai cru comprendre en écoutant l'abbé Lebrun.

— Mais ce qu'il faut surtout comprendre, c'est que cette adhésion au Maréchal, en 1940, était commune à la quasi-totalité des Français. Si les sondages avaient eu, à l'époque, la place qu'ils ont aujourd'hui, en juin 40 de Gaulle aurait recueilli zéro deux pour cent de sympathisants et Pétain quatre-vingt-quinze ! Oui, pour presque tous, il était le sauveur et, ne sautez pas au plafond, même pour votre grand-père et, au moins la première année, pour votre père... Mais tout ça mérite quelques explications sur les années 30.

Je n'ai pas sauté au plafond car, depuis que j'avais commencé mon enquête et que s'ébauchaient la vie et le portrait de mon père, les occasions d'être stupéfait avaient été si nombreuses que j'étais en quelque sorte mithridatisé.

J'étais de plus en plus avide d'en apprendre le

maximum, mais aussi de plus en plus prêt à tout entendre.

— Oui, ça demande quelques éclaircissements, dis-je, et je crus bon d'ajouter, parce que c'était vrai et que je le pensais réellement : Moi, je suis d'une génération à qui on a dit que la France entière était résistante. Je suis maintenant trop âgé pour croire à ce bobard ; d'ailleurs, je n'y ai jamais beaucoup cru, mais, ce qui m'intéresserait, ce sont ces explications que vous me proposez.

— La nuit n'y suffirait pas! sourit Jean en se levant pour aller remettre entre les chenets une grosse bûche que le feu venait de partager. Non, pour schématiser, mais comment s'y prendre autrement, je dirai que pour certains, et toutes classes réunies, l'avant-guerre fut une période à la fois trouble et déliquescente. Pour d'autres, elle apparaît rigide, sectaire, ou, si vous préférez, pour employer un mot à la mode, manichéenne. Enfin, c'est comme ça que je vois les choses, mais je me trompe peut-être, reconnut-il en restant debout, dos au feu.

— Dites toujours.

— Oh! Vous connaissez l'histoire contemporaine, vous savez ce qu'était la Troisième République finissante, les ligues, le Front populaire, les grèves, les avancées sociales et les congés payés, les anciens combattants de 14-18, la Cagoule et les Croix-de-Feu. Sous oublier la nullité patente de la quasi-totalité des politiciens, les scandales financiers, le sectarisme qui fleurissait à tout va, les épouvantables outrances de certains ténors de la presse ou de la littérature, l'anti-sémitisme latent qui gangrénait toutes les couches de la société, la cécité et la lâcheté qui permettaient de ne pas voir ce qui se passait à nos frontières, qu'elles soient espagnole, italienne ou allemande... Quant à l'Éthiopie, c'était si loin! Alors, vous mélangez tout ça, vous secouez bien et ça vous donne soit des gens d'une rare frilosité, des adeptes du parapluie à tout prix, de la compromission quoi qu'il en coûte, soit des disciples inconditionnels et actifs de l'ordre nouveau qui se lève à l'ombre de quelques faisceaux ou croix gammées, soit encore de braves bougres, et ils étaient sans doute les plus nombreux, qui devinent confusément qu'on va droit à la catastrophe, mais qui n'en mesurent peut-être pas toute la gravité et qui, de toute façon, n'ont rien en main pour l'arrêter!

— Et où situez-vous mon grand-père et mon père?

— Dans la troisième catégorie. Avec, cependant, pour votre grand-père, le fait qu'il était ancien combattant et que ces rescapés avaient souvent des idées bien à eux et bien arrêtées sur la façon de remettre de l'ordre, dans tous les domaines... Quant à votre père, il faut que vous le sachiez, lui aussi était furieusement militariste! Il aimait l'ordre, les principes, la discipline, la rigueur aussi pour lui et pour les autres, et, en ce qui le concerne, il a fait la preuve qu'il pouvait être fidèle à son éthique. Je vois que je vous étonne, une fois de plus.

— Un peu. Je n'imaginais pas mon père sous cette

forme, mais vous avez sur moi l'énorme avantage de l'avoir connu.

— C'est vrai. Mais, pour adoucir un peu mes propos, n'oubliez pas que je vous parle d'une période où nous étions encore très jeunes, donc vite en ébullition et plus prompts à l'invective qu'au dialogue! Ce qui ne nous empêchait pas d'être, votre père et moi, amis comme toujours et, comme toujours, prêts à nous empoigner. Verbalement s'entend! Oui, votre père était militariste et j'avais, moi, beau jeu de lui rétorquer qu'il ne savait pas de quoi il parlait!

— Pourquoi?

— Ah? Je ne vous l'ai pas encore dit? Figurez-vous qu'il a été réformé! Je vois encore sa tête au retour du conseil de révision : il était blême de rage et vexé comme un gosse injustement privé de dessert!

— Mais pourquoi a-t-il été réformé?

— Il avait un souffle au cœur. C'est du moins ce que lui ont trouvé les médecins militaires. Et il est vrai que votre père avait tendance à s'essouffler très vite, quand nous étions enfants, mais de là à être réformé!

— Je ne comprends pas, murmurai-je. Si j'en crois l'abbé Lebrun, mon père a été torturé, battu, pendant des mois. Alors comment se fait-il que son cœur n'ait pas lâché lors des premiers interrogatoires?

— Je l'ignore. En revanche, ce que je sais, je l'ai appris juste après la Libération de la bouche d'un des médecins qui l'avaient soigné à Dachau, c'est qu'il est bel et bien décédé d'épuisement. Certes, celui-ci était

128

dû aux coups, mais aussi à une réelle faiblesse cardiaque. En fait, le 20 juillet 44, en ce jour où Hitler échappait à un attentat, c'est son cœur qui a lâché.

— Voilà encore un fait que vous m'apprenez, un de plus.

— Oui..., murmura Jean, perdu dans ses souvenirs.

Il se retourna vers le feu, tendit les mains dans sa direction et je l'entendis alors chuchoter : « Pauvre vieux, tu ne voulais pas y croire à ton souffle au cœur, et pourtant... »

Il soupira, se retourna et sourit.

— Bon, tout ça pour vous expliquer nos petites bagarres d'avant guerre. Oui, votre père était militariste et flirtait plutôt à droite, un peu plus même... Moi, je me suis toujours méfié des militaires et de tout ce qui s'en rapproche. J'ai toujours pensé qu'il n'était pas possible de bien marcher au pas et de réfléchir en même temps ! J'exagère, bien sûr, mais quand j'avais vingt ans j'adorais faire enrager votre père avec ce genre de réflexion ! Il me traitait alors d'anarchiste !

« Mais rassurez-vous, cela ne nous empêchait pas de nous entendre comme larrons en foire quand il s'agissait d'aller faire une joyeuse virée entre amis, d'organiser un bon dîner, ou d'essayer d'épater quelques jeunes Bordelaises. Dans le fond, et dans notre catégorie, nous étions des citoyens tout ce qu'il y a de plus classiques. Des Français moyens, si vous préférez. »

7

Ce fut si rapide et si discret que Christian, assommé de fatigue mais toujours accoudé devant la fenêtre, se demanda presque s'il ne rêvait pas. Tout alla très vite, car, à l'évidence, l'action fut menée par des professionnels, des militaires dont chaque geste était efficace, précis.

D'abord, à droite du patio, jaillirent quatre silhouettes précédées par le faible pinceau jaunâtre d'une lampe électrique. Elles entrèrent par la porte qui s'ouvrait sur la ruelle poussiéreuse et jonchée d'ordures qui filait vers le centre de Calama. Quelques mètres, vite parcourus, suffirent aux visiteurs pour atteindre la cellule qui faisait face à celle de Christian et de son compagnon, cette cellule, il en était sûr, d'où avaient filtré les plaintes, peu avant...

Médusé, tant par la célérité de la manœuvre que par son silence, il vit s'éclairer brièvement la geôle. Presque aussitôt, cinq silhouettes, dont une très frêle et petite qui semblait à peine toucher le sol, car soutenue sous les aisselles, franchirent la porte et dispa-

rurent. Et c'est à peine s'il entendit le faible ronfle-
ment d'un moteur s'éloignant dans la nuit.

Cœur au bord des lèvres, stupéfait, il fut pendant
quelques instants incapable d'analyser lucidement ce
qu'il venait de voir. Puis il réalisa enfin et sut que
l'image de ce rapt clandestin resterait à jamais dans
sa mémoire. Désormais, elle serait liée à ces cris de
femme – car c'était bien une femme, il le savait maintenant – qui étaient définitivement gravés en lui. Et il
comprit aussi que plusieurs questions, auxquelles il
ne trouverait jamais de réponses, allaient le poursuivre chaque fois que se profileraient devant lui,
comme une série de photos en noir et blanc, ces
quatre, puis cinq ombres, aussi fugaces et silencieuses que des oiseaux de nuit.

Lancinantes questions qui l'assaillaient déjà : Qui
était cette femme et que représentait-elle pour être
traitée avec une telle discrétion, à la sauvette ? Clan-
destinement même et sûrement pour éviter que nul,
dans cette prison, pas même les gardiens, connaisse le
visage de ses tortionnaires, ni la destination vers
laquelle ils l'entraînaient. Et dans quel but ?

C'est poings serrés, blessé de se sentir aussi
désarmé, aussi inutile, qu'il regagna enfin son châlit.

*

« Il n'était pas loin de dix-sept heures lorsque
Mme Salviac passa la tête par la porte entrebâillée.
— Vous prendrez du thé ? du café ? ou quelque
chose de plus... corsé ? demanda-t-elle.

— Une bière ? un whisky ? proposa Jean.

— C'est peut-être un peu tôt pour le whisky, non ? hasardai-je. Si ça ne vous dérange pas, je m'en tiendrai au café, ajoutai-je en supputant que la soirée serait longue.

— Alors, moi aussi, dit Jean ; nous passerons aux boissons sérieuses un peu plus tard.

C'est après avoir bu le café et alors que la nuit s'épaisissait, toute cotonneuse d'un brouillard de plus en plus opaque, que je relançai la conversation :

— Vous m'avez dit que mon père et vous étiez des citoyens moyens, des Français types ; ça correspondait à quoi ?

— A nous. A cette immense majorité d'individus qui ont stupidement cru que la paix était assurée lorsque Daladier est revenu de Munich. Vous vous rendez compte qu'il s'est trouvé cinq cent mille couillons pour aller l'acclamer à sa descente d'avion et sur la route du Bourget ! Il paraît qu'on n'avait pas vu une telle foule depuis le 11 novembre 1918 ! Un an après, nous nous sommes tous bêtement retrouvés en guerre, en faisant semblant de ne pas savoir pourquoi !

— Mais avant ? Je veux dire : du point de vue études et ensuite professionnel ?

— Ah ! très simple. Histoire d'apprendre mon métier, viticulture et œnologie, j'ai fait comme votre grand-père Marcelin, c'est-à-dire l'école d'agriculture de Montpellier. Ensuite le service militaire est arrivé, et j'avais à peine eu le temps de prendre le domaine en main quand la mobilisation nous est tombée sur le dos. Et après...

— Et mon père ?

— Je vous l'ai dit, il était furieux d'être réformé. Alors, sans doute pour s'affirmer, au lieu de prendre ce que lui proposait votre grand-père, c'est-à-dire la gestion de la maison d'import-export de Bordeaux, il est monté à Paris et s'est inscrit dans une école de commerce. Ce qui lui a permis ensuite de s'installer, toujours à Paris, comme négociant en vins et spiritueux. Mais il descendait très souvent à Bordeaux. Nous ne nous sommes donc jamais perdus de vue et sommes restés très amis. D'ailleurs, il a toujours eu sa chambre ici, enfin, jusqu'à son mariage.

— Oui, justement, parlons-en. A son sujet aussi je sais peu de chose, pour ne pas dire rien.

— Nous n'en sommes pas encore à son mariage ! Et vous ne le comprendrez pas si vous oubliez la guerre !

— Je croyais qu'il était réformé !

— Tout à fait. Mais, quand je parle de guerre, je ne pense pas qu'aux combats ; je pense aussi à l'exode des civils. Sur ce sujet, on a beaucoup écrit et parlé. Mais il faut l'avoir vécu pour en mesurer toute l'ampleur et aussi toute l'horreur. C'était fou, apocalyptique !

— Vous n'étiez pas mobilisé ?

— Si, bien entendu. Mais, là encore, je fus un soldat tout ce qu'il y a de plus banal. Je n'étais ni parmi les deux cent mille victimes que firent quelques mois d'une guerre prétendument « drôle », ni au milieu des quatre cent mille malheureux qui se sont fait coincer dans la poche de Dunkerque, ni comme les deux millions d'autres pauvres types qui furent faits prisonniers en moins de temps qu'il n'en faut pour le dire! Ou même pour tirer un coup de fusil!

Il s'arrêta une nouvelle fois, sembla se perdre dans quelques lointaines et sombres visions, puis me regarda et sourit.

— Je vous vois de plus en plus étonné.

— Non, pas trop. Je sais bien que vous n'inventez rien. Mais vous parliez de l'exode...

— Oui. Figurez-vous que lors de la mobilisation, en 39, j'ai naturellement été rappelé dans l'arme où j'avais fait mon service militaire : l'aviation, à Orléans. Je vous rassure tout de suite, à moins que je ne vous déçoive, j'étais rampant, affecté à l'entretien. Je n'ai d'ailleurs jamais su ce que nous devions entretenir! Pas besoin de vous dire que l'occasion de me rendre en quoi que ce soit utile ne m'a jamais été donnée. Comme tout le monde, j'ai suivi le cours des événements, l'écroulement du front, le recul, la débâcle. Et pour finir, l'effondrement total du pays et des illusions que j'avais encore. Ensuite, tout alla très vite.

« Je revois encore le petit commandant – il faut croire que les officiers supérieurs étaient soit morts en combats aériens, mais ce n'était pas la majorité, tant s'en faut! soit déjà à l'abri du côté de Perpignan, ou plus loin!... Enfin, bon, c'est un petit commandant, maigre comme un tire-bouchon et sinistre comme une carafe d'eau, qui nous a rassemblés devant un des hangars. Nous étions le 14 juin, peu avant midi. " Messieurs ! " a-t-il dit – oui, oui, " Messieurs ", je m'en souviens parfaitement ! – " Messieurs, le gouvernement a quitté, ce matin, Tours pour Bordeaux. Paris est déclarée ville ouverte. Les nazis y sont entrés aujourd'hui à sept heures. Demain, ils seront ici. Je n'ai plus d'ordres à vous donner. Vous pouvez donc considérer qu'à compter de maintenant vous avez quartier libre. Libre à vous d'en user comme bon vous semble... " Il a alors enlevé sa casquette et sa veste d'uniforme et a lancé le tout dans une grosse cuve d'huile de vidange.

« Ce n'est pas ce qui m'a frappé le plus, et pourtant, croyez-moi, c'est surprenant de voir jeter une veste où se côtoient la médaille militaire et une croix de guerre couverte de palmes... C'est d'ailleurs à ça que nous savions que ce petit commandant était un ancien de 14-18 sorti du rang : la médaille militaire est exclusivement réservée aux hommes de troupe et aux sous-officiers, ou alors, par exception, aux généraux. Malgré cela, ce n'est pas ce qui m'a choqué le plus.

« Oui, c'est un vrai choc que j'ai ressenti en voyant ce petit bonhomme, tout maigre et un peu ridicule avec sa chemise auréolée sous les bras par la transpiration, ses bretelles un peu effilochées et ses pantalons qui semblaient soudain trop grands, qui s'éloignait vers la porte ouverte sur la campagne en sursautant tous les deux pas, comme s'il haussait les épaules.

« Mais moi qui étais au premier rang, j'avais mesuré tout l'effort qu'il avait fait pour ne pas se donner en spectacle devant nous; et j'avais surtout vu, juste avant qu'il ne parte, les énormes larmes qui roulaient le long de son nez avant de perler au bout de son menton en galoche, son menton qui tremblait comme celui d'un vieillard. Et j'avais un certain mérite à avoir observé cela car ma vue aussi était brouillée... C'est bête, hein ? Que voulez-vous, j'étais sans doute trop sentimental, ça m'a bien passé par la suite, quoique...

— Et personne ne vous a dit de détruire les installations, les pistes, le matériel, les avions ?

— Je n'en garde pas souvenir. Vous savez, les avions, beaucoup étaient encore en pièces détachées on ne savait trop où ! Mais ce dont je me souviens très bien, c'est d'être allé jusqu'à la chambrée, d'avoir enfilé mes vêtements civils et d'être parti à mon tour, mains dans les poches. Non, pas tout à fait. J'avais une gourde d'eau et une musette avec deux miches de pain et trois boîtes de singe, une carte Michelin au 1/1 000 000 et une boussole. Croyez-moi, n'oubliez jamais la boussole si vous devez un jour traverser la France à pied en coupant au plus court. Mais je vous ennuie sans doute avec tout ça. Vous avez entendu mille fois ce genre de récit et vous devez penser que je m'éloigne de votre père.

— Non, si vous évoquez ces événements, c'est qu'ils ont sûrement leur importance.

— Oui, parce que toute la suite en découle et parce

qu'ils ont été perçus de façons très différentes par les uns et par les autres. Certains les ont trouvés à ce point révoltants qu'ils voulurent à tout prix réagir, pour essayer d'en effacer le souvenir. D'autres, et ils furent nombreux, les acceptèrent comme une sorte de punition quasi céleste, une épreuve pénible mais juste, puisqu'elle sanctionnait tous les prétendus relâchements et autres fautes dont nous étions, nous disait-on, coupables; il fallait donc expier! On nageait en plein crétinisme ou en plein dolorisme, ce qui revient au même! Mais c'est avec ces piteuses fariboles et cette autoflagellation minable que Pétain s'est installé sans coup férir et à la grande satisfaction du plus grand nombre!

— Et l'exode dont vous vouliez me parler?

— Oui, excusez-moi, je me laisse emporter, chaque chose en son temps. L'exode? Nous, de l'intérieur de la base où nous étions consignés, on ne s'était pas tellement rendu compte de ce qui se passait sur les routes. Mais, une fois sur place, quelle révélation!

« C'était dantesque. Et ça durait depuis un mois! A en croire les paysans toujours en place – dont certains étaient de francs salauds puisqu'ils faisaient payer l'eau, heureusement que d'autres donnaient le lait et le pain! – oui, à les en croire, ça avait débuté avec des convois de Hollandais et de Belges. Et puis, au fur et à mesure de l'avance des autres et de la panique quasi générale, étaient descendus les gens du nord de la France, de l'Est... Et moi, le 14 juin, quand j'ai rejoint la nationale 20, un peu avant La

Ferté-Saint-Aubin, c'était quasiment tout Paris et tout Orléans qui défilaient...

« Et tous ces gens-là n'en pouvaient plus, qui, pour certains, marchaient depuis des jours ; parce que vous pensez bien que les véhicules... Ils marchaient l'estomac vide et la peur au ventre car il se disait, de groupe en groupe, que l'aviation allemande venait de temps en temps faire des cartons, histoire de faire prendre l'air à leurs Junker 87, oui, les fameux Stuka. C'était exact, mais, Dieu soit loué, je n'ai rien subi de tel. D'ailleurs, dans la désolation, m'ont suffi les regards des gosses et des femmes perdus dans cet enfer qu'étaient nos routes.

« Bien entendu, dès le premier jour, après quatre heures de marche, je n'avais plus la moindre provision. Alors, comme je ne pouvais même plus donner une tartine aux enfants qui pleuraient de faim et que j'avais, une fois de plus, le sentiment de ne servir à rien, j'ai coupé au plus court. Carte et boussole en main, j'ai filé droit sur Bordeaux. Et l'amusant de l'histoire, c'est que votre père, presque à la même heure et à quelque quatre-vingts kilomètres de moi, a décidé de faire la même chose. Lui, par chance, il avait un vélo. Il n'empêche, pour un peu nous faisions le chemin ensemble !

— Vous n'avez vraiment pas soif ? me demanda soudain Jean, il est vrai que vous parlez beaucoup moins que moi ! Il regarda sa montre : six heures

moins le quart, c'est une heure honnête pour s'abreu-
ver! D'ailleurs, le soleil est couché; passons aux
choses sérieuses, whisky, porto, anisette? A moins
que vous ne préfériez un sauternes bien frappé?

— Et qui me frappera sans crier gare! plaisan-
tai-je. Non, je prendrai volontiers un whisky.

— Glaçons, eau? demanda-t-il en ouvrant une
antique et magnifique malle de navire transformée
en cave à liqueurs.

— Les deux, si possible.

— Alors servez-vous à votre dose, je vais chercher
tout ça. Et versez-m'en un aussi, tant que vous y êtes,
dit-il en posant verres et bouteilles sur une table
basse. Et si ce n'est pas trop vous demander, ajouta-
t-il avant de quitter la pièce, chargez un peu le feu.
J'ai l'impression que l'humidité s'installe. Il est vrai
qu'avec tout ce brouillard... Si vous n'y voyez pas
d'inconvénient, dit-il en revenant peu après, nous
dînerons à vingt heures. Oui, ma femme adore faire
la cuisine et aime donc savoir à quelle heure mettre
ses plats au four.

— J'espère surtout qu'elle ne se met pas au travail
pour moi?

— Et pourquoi pas? Mais non, je plaisante, dit-il
en souriant. Ne vous inquiétez pas, elle aime vraiment ça, et comme je suis assez gourmet... Tenez,
tapez dans ces amuse-gueule, si vous les appréciez.

Il mit un glaçon dans son whisky, contempla son
verre, puis le leva à la hauteur de son visage:

— A tout le passé qui nous réunit ce soir, et aussi à
votre obstination à vouloir le connaître, dit-il.

139

— A votre mémoire.

— Merci, elle n'est pas trop mauvaise, dit-il après avoir bu. Maintenant que j'ai la gorge moins sèche, revenons à l'exode. Pour moi, dès l'instant où j'eus quitté les grandes routes, ce fut, tout simplement, une longue marche. J'avais un petit pécule qui me permit de me nourrir au hasard des fermes et des villages où, là encore, pendant la quinzaine de jours que dura mon périple, j'ai pu découvrir toutes les facettes de la nature humaine! J'ai ainsi rencontré des gens charitables et des ordures, des pleutres et des courageux et, déjà, des vaincus et des futurs vainqueurs!

« Si, si! C'est grâce à cette traversée de la France qu'un soir, non loin de Ribérac, l'avenir s'est ouvert pour moi... Parce qu'elle était sur mon chemin, et la seule visible alentour, à quelque cinq cents mètres de la route, j'ai demandé asile dans une ferme. C'était une petite propriété bien tenue, qui vivait sans doute d'un peu de polyculture, d'une dizaine de bêtes à cornes et de quelques moutons. Il restait encore plus d'une heure avant que la nuit ne tombe, mais j'étais fourbu. Il est vrai que je marchais maintenant depuis une douzaine de jours avec des chaussures peu adaptées et une alimentation assez légère! Aussi, quand j'avais fait mes vingt-cinq à trente kilomètres, j'étais content de moi. Bien entendu, de son côté, votre père se prélassait et se gobergeait déjà ici! Pensez, il avait un vélo, lui! Mais moi, j'arrive donc en traînant un peu les pieds dans cette ferme et je découvre, dans la cour, deux petits vieux en train de décharger une charrette de foin.

Jean se tut, but une gorgée et se mit à rire avant de poursuivre :

– Oui, quand je dis « petits vieux », c'est une façon de parler. Moi, à l'époque, j'avais vingt-cinq ans, et tout ce qui en avait plus de cinquante me semblait canonique; alors, comme ceux-là en avaient au moins soixante-cinq!

« Je les vois encore, tous les deux, couverts de sueur et de poussière de foin, mais qui sourirent quand même à mon approche. La veille, peu avant Thiviers, une sorte d'abruti, à la silhouette néandertalienne avait lâché ses chiens dès qu'il m'avait aperçu m'avançant vers sa ferme! C'est dire si un sourire était le bienvenu. C'est sûrement pour ça et aussi parce qu'ils me faisaient un peu pitié que je leur ai proposé un coup de main. Je n'oublie pas le regard rigolard du vieil homme qui lança : " Pourquoi pas ? Mais si les gens des villes se mettent à faire les foins, c'est vraiment la fin des haricots ! "

« J'aurais pu lui répondre que je n'étais pas plus citadin que lui, mais j'ai préféré me taire et prendre une fourche. C'est plus tard, après le chabrol et alors que la patronne était partie à l'étable pour la traite en nous laissant sur la table omelette, jambon, salade et fromage, que mon hôte me lança, comme ça, d'un coup : " Allez, pouvez bien le dire, vous partez en Angleterre, hein ? En Angleterre ? lui ai-je dit sans comprendre, et que voulez-vous que j'y fasse ? – Ah ? dit-il un peu dépité, alors vous n'êtes pas degaullien ? " Et comme je ne saisissais toujours pas : " Ben oui, quoi! fit-il avec un coup de tête en direction du poste de T.S.F. posé sur le bahut, vous n'avez donc rien entendu? Et d'où vous sortez, alors? Moi, je suis degaullien! Parfaitement! Et si j'avais votre âge, je serais déjà parti le rejoindre, cet homme! C'est lui qui a raison et il faut l'aider! Enfin, vous au moins, vous n'êtes pas prisonnier comme mes gendres, c'est déjà ça! »

Jean dut voir mon étonnement car il insista :

— Je vous surprends, mais ça s'est passé rigoureusement ainsi! On sait aujourd'hui que seule une infime minorité d'auditeurs ont capté l'appel du 18 Juin. Moi, bien entendu, j'en ignorais jusqu'à l'existence, et il a fallu que le destin me conduise juste dans cette ferme perdue pour qu'un petit vieux me parle, et avec quelle passion, des premiers balbutiements de la Résistance! Me parle et surtout me convainque!

— Si vite?

— Oui. A force de marcher seul depuis presque deux semaines, j'avais eu le temps de ruminer notre défaite, de ressasser ma rancœur, ma vexation, de me souvenir du petit commandant jetant sa veste et sa casquette et s'éloignant tout secoué par d'énormes sanglots. J'avais eu le temps de me souvenir aussi de tout ce peuple vaincu, jeté sur les routes, et de ces gosses qui n'en pouvaient plus de pleurer.

« Alors, d'apprendre qu'un homme relevait la tête et nous demandait de le faire avec lui, c'était formidable! Oui, c'était formidablement exaltant de savoir

142

que quelqu'un non seulement ne se complaisait pas dans la défaite, mais parlait de se battre et de vaincre! C'était une joie immense! Une fierté retrouvée! Oh je sais, tout ça est pompeux et risque de faire sourire quarante ans plus tard, mais qu'importe : moi, en ce soir du 28 juin 40, j'étais heureux!

— C'est quand même un comble, dis-je pour le taquiner un peu, j'ai cru comprendre que vous étiez antimilitariste, et il a suffi qu'un général joue au sergent recruteur pour que vous vous mettiez au garde-à-vous, le petit doigt sur la couture du pantalon, le regard sur l'horizon et le menton volontaire! C'est farce, non?

— Pas si vite, s'amusa-t-il. Le fait est que je n'aimais pas beaucoup les militaires, c'est d'ailleurs pour ça que je me suis d'emblée méfié de Pétain. Pour moi, ce n'était pas du tout rassurant d'avoir un maréchal à la tête du gouvernement. Mais, voyez, votre réflexion impertinente est quand même pertinente! Car c'est bien parce qu'il aimait l'ordre et qu'il était militariste que votre père s'est tout de suite rangé derrière le Maréchal. Il est vrai que votre grand-père ne tarissait pas d'éloges à son égard, en souvenir de Verdun.

— Je comprends. Mais vous, insistai-je, que diable, de Gaulle était bien général, non?

— Je vous vois venir! Mais pour moi, un général, surtout à titre provisoire, qui faisait preuve d'un tel culot et qui, surtout, faisait un tel bras d'honneur à ses supérieurs, ne pouvait être un vrai militaire. Du

143

moins tel que je les concevais à l'époque, c'est-à-dire très bêtes et très disciplinés! Et puis, bon sang, il faut savoir assumer ses contradictions! La preuve, je suis producteur — et amateur — d'un très grand cru et pourtant j'apprécie aussi le whisky! acheva-t-il en portant son verre à ses lèvres.

— D'accord, mais, en arrivant ici, comment ça s'est passé avec mon père?

— Le mieux du monde. Nous avions beaucoup à nous raconter et étions ravis de nous retrouver. C'est au cours des semaines suivantes que j'ai appris deux choses. D'abord qu'on ne disait pas degaullien mais gaulliste et que gaullistes et pétainistes n'étaient pas plus faits pour s'entendre que les Armagnacs et les Bourguignons!

— Un peu plus de whisky? proposa Jean.

— Oui, mais alors une larme.

— Bah! Vous irez bien jusqu'au sanglot! plaisanta-t-il en me versant une copieuse rasade. De toute façon, après ça, il sera l'heure de passer à table.

— Vous vous êtes tout de suite lancé dans la Résistance? demandai-je après avoir noyé mon scotch.

— Vous plaisantez? D'ailleurs, que voulait dire Résistance pendant l'été 40? Ce mot lui-même n'était pas employé! C'était un état d'esprit plutôt qu'autre chose. Rien n'était organisé, et moi je ne savais absolument pas vers qui me tourner. Ce n'était pas l'envie de réagir qui faisait défaut, mais les moyens de le faire.

144

— Vous n'avez pas eu la tentation de partir pour Londres ?

— Oui et non, dit-il en haussant les épaules. En fait, je ne savais trop sur quel pied danser. Je ne me cherche pas d'excuses, mais n'oubliez pas que j'avais ma mère à charge et que le domaine risquait de partir à vau-l'eau par manque de personnel; nos meilleurs employés étaient tous prisonniers! Et enfin, pour être franc, je ne voyais pas en quoi ma présence en Angleterre pouvait être d'une quelconque utilité.

— Je comprends. Et mon père, quelle était vraiment sa position ? Vous m'avez dit qu'il était pétainiste, ça consistait en quoi ?

— Là encore, rien n'est simple! Aujourd'hui, quand on dit de quelqu'un qu'il était pétainiste, on fait tout de suite l'amalgame avec la collaboration, mais c'est beaucoup plus compliqué que ça! Je vous l'ai dit, l'Histoire, surtout en période trouble, est toujours moins tranchée qu'on ne le croit. Ça n'empêche pas qu'il y ait des bons et des méchants de part et d'autre, et je vous accorde même qu'il peut y avoir des très bons et des très méchants. Mais ça n'élimine pas pour autant tous ceux qui, à un moment donné, ne savent pas trop où se situer.

— D'accord. Vous voulez dire par là que mon père, pendant un temps, n'a pas trop su vers où se diriger. Mais dites-vous cela parce que c'est la vérité ou pour m'éviter, disons... une déception ? Vous savez, vous pouvez tout me raconter, même si ce n'est pas toujours glorieux, ni beau; je suis là pour savoir. Alors, qu'était mon père ?

145

– Sur ce point, je peux vous répondre sans détour, il n'était pas gaulliste, ça c'est certain, du moins pendant les premiers mois. Alors, me direz-vous, il était pétainiste! Oui, comme presque tout le monde! N'oubliez pas que l'exemple venait de haut. Tenez, nombre de nos grands intellectuels de l'époque y allèrent de leur couplet au Maréchal, même notre aphone célébrité bordelaise, même notre mystique ambassadeur-écrivain, et tant d'autres!

« Et puis il y eut Montoire, et là le doute a commencé à s'installer chez quelques-uns. Ensuite, certaines lois ou orientations devenant de plus en plus intolérables et inadmissibles, les choix se sont vraiment durcis. Et, dès ce moment, être pétainiste pouvait effectivement être synonyme de collaborateur. Mais c'est une étiquette qu'il ne m'est jamais venu à l'idée de donner à votre père, jamais.

– Voilà une bonne nouvelle. Autre point que j'aimerais éclaircir : vous m'avez dit tout à l'heure que le mariage de mon père ne se comprenait pas sans l'exode, et je ne vois toujours pas le rapport.

– Il est pourtant de taille. Sans la folle panique qui a jeté une partie du nord de la France sur les routes du sud, jamais votre père n'aurait rencontré votre mère.

– J'ignorais ça.

– Ce fut tout à fait rocambolesque, mais qu'est-ce qui ne l'était pas à l'époque! La preuve, prenez le cas de votre père. Il a quitté Paris depuis deux jours, c'est-à-dire avant l'entrée des Allemands : tout le

146

monde s'en va, pourquoi pas lui ! Depuis son départ, il a déjà crevé une bonne dizaine de fois, mais a quand même parcouru près de deux cents kilomètres, ce qui est tout à fait honorable pour un homme dont le cœur a tendance à s'emballer trop vite.

« Donc il va, plein sud, et soudain, alors qu'il tente de se frayer un passage dans le troupeau des fuyards, trois ou quatre bidasses dépenaillés et, dans le fond, déserteurs – comme moi, d'ailleurs ! – l'agressent et tentent de lui voler sa bicyclette. Il était encore blême de rage lorsqu'il me raconta ça plus tard : " Tu te rends compte, ces salauds ! Ces ordures, au lieu d'essayer de se battre sur la Loire ou de rejoindre le réduit breton, étaient là en train de vouloir me casser la gueule pour me voler ! Ah, les voyous, je les aurais tués ! "

« Je crois qu'il s'en est sorti grâce à l'aide de quelques autres fugitifs. Mais il avait compris que son vélo était un luxe qui pouvait faire des jaloux prêts à tout. C'est alors qu'il quitta la grand-route.

« Le lendemain, il est toujours en train de pédaler lorsqu'il voit, devant lui, une voiture arrêtée, une Citroën quinze-six – n'oubliez pas cette précision –, et un homme qui lui fait signe de stopper : " J'aurais pu foncer et même accélérer, m'expliqua-t-il plus tard, mais je n'ai pas hésité une seconde à mettre pied à terre ; tu comprends ; une quinze-six ce n'est pas le premier venu qui peut s'offrir ça ! " Il faut que vous sachiez que c'était alors le haut de gamme chez Citroën, la traction avant quinze chevaux six cylindres était une merveille! Aussi, lorsque votre père m'a raconté ça, je l'ai cru, ça tenait debout. C'est peu après que j'ai compris qu'il a surtout freiné pile lorsqu'il a vu votre mère, assise sur le talus, à côté de la voiture! Oui, votre père était, comment dire... très sensible à la beauté féminine. Les jolies filles ne le laissaient pas du tout indifférent, et comme lui-même avait beaucoup de charme... J'espère que je ne vous offusque pas?

— Pas le moins du monde! Il m'aurait déplu d'apprendre que, non content d'être pétainiste, mon père était de surcroît puritain, voire bigot!

— Oh! de ce côté, soyez rassuré! sourit Jean. Bref, il s'est arrêté. Il faut dire que votre mère était vraiment très belle, oui, très belle. Donc, il descend de vélo, et celui qui allait devenir son beau-père lui explique qu'il est en panne, mais qu'il ne connaît rien à la mécanique et que si, par hasard, le jeune cycliste pouvait...

« Je me dois ici de vous signaler que votre père s'y entendait en moteur à quatre temps à peu près autant qu'un nouveau-né! Ce qui ne l'empêcha nullement de plonger sous le capot avec l'assurance d'un mécano chevronné et de se remplir les mains de cambouis en tripotant au petit bonheur la chance le carburateur, le delco ou je ne sais quoi, et quelques câbles du circuit électrique! Cela fait, et avec le parfait culot du professionnel sûr de lui, il annonça au conducteur qu'il pouvait démarrer. Et alors, tenez-vous bien, le moteur ronfla au quart de tour! Il y a

comme ça des miracles dans la vie ! Mais j'ai encore
en mémoire le fou rire de votre père lorsqu'il me
raconta cette aventure : " Tu te rends compte, hoque-
tait-il, c'est à moi qu'un truc pareil est arrivé ! Tu
aurais vu la tête des Parisiens ! Ils étaient prêts à
m'embrasser ! Moi, je n'avais qu'une trouille, c'est
que le moteur s'arrête de nouveau, parce que pour le
coup... "

« Je présume que vous devinez la suite. Les dépan-
nés, aux anges, congratulent l'as de la mécanique,
qui joue les modestes, mais sans perdre votre mère de
vue et surtout sans omettre de signaler, incidemment,
qu'il rejoint Bordeaux... "Bordeaux ? Pas possible, ça
tombe bien, nous allons à Royan !" Oui, vous le savez
sûrement, vos grands-parents maternels y possé-
daient une maison de vacances.

– Oui, ma mère et moi y avons vécu une partie de
la guerre, juste après ma naissance, mais je n'en
garde aucun souvenir.

– Bien entendu. Enfin, tout ça pour vous dire que
votre père est invité à faire un bout de chemin dans la
voiture qu'il vient de « réparer » ! Il met donc son vélo
sur la galerie, déjà surchargée de malles et de valises,
et s'installe à l'arrière de la Citroën, à côté de votre
mère... C'est ainsi qu'ils ont fait connaissance. Et je
n'hésite pas à dire, parce que votre père me l'a avoué,
que ce fut, de part et d'autre, un coup de foudre
immédiat. La preuve : votre père n'a pas attendu plus
de trois semaines avant de remonter à Royan pour
revoir votre mère. Et elle, de son côté, et pendant tout

l'été 40, est venue à Bordeaux à chaque séjour que votre père faisait dans la région. Oui, la panique une fois passée, il avait très vite repris son travail à Paris, mais il descendait très souvent dans le Bordelais, et ce n'était pas tellement pour raisons professionnelles... Ils se sont officiellement fiancés en décembre 40, et ce, malgré le peu d'enthousiasme – et le mot est faible – des parents de votre mère.

– J'ignorais ça ! Ma mère ne m'en a jamais parlé ! Mais pourquoi étaient-ils réservés ?

– C'est simple. Votre père avait beau avoir une honnête situation, il n'était pas du même milieu. Vos grands-parents maternels occupaient l'un et l'autre des postes élevés dans l'administration. Ingénieur des Mines, votre grand-père travaillait au ministère des Travaux publics et votre grand-mère avait un très bon échelon dans je ne sais plus quelle mairie, celle du Xe ou du XIe, je crois, peu importe. Alors, ils avaient sans doute espéré que leur fille unique, leur petite Paulette, qui ne manquait sûrement pas de prétendants et de beaux partis, choisirait un jeune et brillant fonctionnaire dont l'avenir était tout tracé ! Aussi, je ne dirai pas que l'ambiance était euphorique lorsque je fus témoin du mariage de vos parents en juillet 41... Et le climat était d'autant plus lourd que votre père penchait peu à peu vers la Résistance, une Résistance d'abord passive, et que son beau-père s'enfonçait de plus en plus dans une collaboration active.

8

– Puis-je vous poser une question ? me demanda
Jean après avoir rempli mon verre d'un sauternes
exceptionnel qui accompagnait à merveille un foie
gras de canard en tout point parfait.
– Tu pourrais au moins laisser dîner notre invité
en paix, lui reprocha gentiment son épouse en me
proposant une nouvelle tranche de foie.
Sachant que nous n'en resterions pas à cette spé-
cialité, royale certes, mais qui n'était somme toute
qu'une entrée, je refusai, tout en lui assurant que son
mari, qui parlait depuis des heures, avait bien le
droit de poser à son tour toutes les questions qu'il lui
plaisait.
– Où avez-vous vécu, après la guerre ? me dit-il.
– Aussi loin que je me souvienne, je ne crois pas
avoir habité ailleurs qu'à Paris.
– C'est bien ce que je pensais, murmura-t-il en
observant pensivement une grosse rondelle de truffe,
piquée au bout de sa fourchette. Il la croqua et la
savoura avant de poursuivre : J'ai failli faire votre

connaissance en 1945, ou tout du moins avoir de vos
nouvelles. Si tel avait été le cas, sans doute ne seriez-
vous pas là ce soir, car vous sauriez tout depuis longtemps. Oui, juste après la guerre, j'ai eu envie de
savoir si votre mère et vous n'aviez besoin de rien.
Disons que je faisais cela en souvenir de votre père.

– C'est donc que vous aviez rompu avec nous ?

– Moi ? Non ! Mais votre mère, oui, et depuis
1942. Alors, j'ai tenté de découvrir ce qu'elle devenait, simple pulsion vite maîtrisée. J'ai admis que
votre mère avait sciemment coupé les ponts et j'ai
abandonné l'idée de la retrouver. Pourtant, si j'avais
voulu, c'était facile : je comptais à l'époque beaucoup
d'amis bien placés au gouvernement et dans les
ministères pour retrouver votre trace. Mais ça
m'aurait semblé malhonnête dès l'instant où il était
évident que votre mère voulait tirer un trait définitif
sur une partie du passé.

– Ah bon ? murmurai-je, c'est quand même un
comble ; moi, c'est justement cette partie du passé qui
me passionne ! Mais pourquoi ma mère a-t-elle agi
ainsi ?

Jean but une gorgée de sauternes – un barsac
crème de tête 61 –, la savoura en connaisseur et fit
une petite moue que ne justifiait en rien sa dégusta-
tion :

– Pourquoi ? Je crois que votre mère me haïssait
totalement. Elle a toujours été persuadée que j'avais
été le mauvais génie de votre père. Que c'était à cause
de ma forte influence qu'il était enfin entré dans la

Résistance. Et je crois aussi qu'elle avait fini par se persuader qu'il avait été arrêté à ma place. Alors, de là à me reprocher d'être vivant, alors que lui...

— Bien sûr. Et elle se trompait?

— Sur toute la ligne. Mais comment lui en faire grief, surtout en cette période? Tout était encore trop à vif, trop frais. On était en pleine épuration, alors...

— Vous voulez dire que ma mère avait quelque chose à voir avec ça? Avec l'épuration?

— Elle? Absolument pas! Et, si elle avait voulu, elle aurait même pu tirer beaucoup d'avantages de son état. Pensez, veuve de Résistant, mort en déportation, ça ouvrait des portes, et ce n'était que justice. Mais, ça non plus, elle n'a pas voulu. Je ne sais même pas si elle a jamais su que son père avait, lui, profité du sacrifice de son gendre...

— Dites-moi si je me trompe, mais s'il en a profité, c'est donc qu'il en avait besoin?

— Oui, franchement oui! Il avait trop épousé les thèses collaborationnistes. Je ne crois pas qu'il ait jamais personnellement trempé dans de très sales affaires ni fait grand tort à qui que ce soit. Mais son engagement avait quand même été beaucoup trop voyant pour qu'il n'ait pas quelques ennuis à la Libération. Pensez, il était devenu vice-président de je ne sais plus quelle section parisienne de la Légion du Maréchal, mouvement réactionnaire en diable qui avait à charge de faire, entre autres, appliquer le fameux slogan : Travail, Famille, Patrie. Il y avait là-dedans une bande d'excités et d'extrémistes qui vouaient à Pétain un culte musclé qui n'eût été que grotesque en temps de paix, mais qui était dangereux dans les années 40. Bien sûr, ce n'était pas la Milice, mais quand même, ça empestait furieusement! Vous me comprenez? Quelques pauvres lampistes, moins bien placés que votre grand-père pour se défendre, se sont retrouvés avec douze balles dans la peau pour parfois moins que ça. Et nombre de malheureuses, à mon avis beaucoup moins compromises que votre grand-mère, je veux dire intellectuellement, ont été lâchement molestées et tondues par une populace qui, la veille encore ou presque, meuglait « Vive Pétain! » et chantait « Maréchal, nous voilà! ».

— Je comprends, oui oui, je comprends, dis-je un peu sonné par la nouvelle. Et mon grand-père Marcelin était du même bois?

— Pas du tout. D'abord, il était beaucoup trop indépendant pour se laisser enfermer dans une quelconque chapelle. Ensuite, il s'est complètement refermé sur lui-même après l'arrestation de votre père, quand il a compris que rien ne pourrait le faire libérer. Par la suite, je ne pense pas que quelqu'un l'ait entendu vanter les mérites du Maréchal, pas plus qu'il ne vantait ceux du Général! Pour lui, le temps s'est arrêté le 21 décembre 1943, jour de l'arrestation de votre père, et je crois qu'il n'a plus jamais voulu revenir parmi nous. Mais ce n'était pas le cas de votre autre grand-père.

— Donc il a eu des problèmes à la Libération?

— Quelques-uns. Il a fait dans les huit ou dix mois

à Fresnes, oui, comme votre père et peut-être dans la
même cellule, mais sûrement pas dans les mêmes
conditions ! Ensuite, naturellement, frappé d'indi-
gnité nationale, il a perdu son poste au ministère,
comme votre grand-mère avait elle aussi perdu le
sien... Je ne sais pas du tout ce qu'ils sont devenus
tous les deux par la suite, et vous ?

— D'après ma mère, mon grand-père est décédé
d'un cancer en 1946, et je n'ai aucun souvenir de lui.
Quant à ma grand-mère, elle a vécu jusqu'en 1966.
Mais je comprends mieux maintenant pourquoi elle
en voulait au monde entier ! Je garde le souvenir
d'une vieille dame très ronchon, très désagréable
même, qui habitait un deux-pièces assez sinistre dans
le XIXe. Elle se plaignait chaque fois que nous lui
rendions visite, ma mère et moi, et accusait la terre
entière, et surtout les Américains, de tous ses maux.
Au sujet des Américains, j'ai mis longtemps à savoir
pourquoi, et c'est un des rares aveux que ma mère
m'avait faits sur cette époque.

— Ça, je suis au courant, coupa Jean, et il eut un
petit rire qui lui valut les gros yeux de sa femme.
Excusez-moi si je m'amuse un peu, mais ils en
étaient tellement fiers de leur villa de Royan, vos
grands-parents ! C'est là qu'avaient été célébrées les
fiançailles de vos parents. Je la vois encore, cette
grande et belle maison, solide, confortable, un brin
tape-à-l'œil, d'accord, mais après tout, ce sont vos
grands-parents qui l'avaient payée ! Alors évidemment, quand les Américains s'en sont mêlés... Surtout
avec le doigté et la finesse qui leur étaient propres !

— Oui, c'est bien ainsi que ma mère me l'a raconté. Ils ont littéralement rasé toute la ville en janvier 45 ; elle faisait partie des dernières poches de résistance allemande, c'est bien ça ?

— Exactement. Un vrai tapis de bombes, et pas à l'économie ! Il paraît que c'était une erreur de visée ! Mais la maison de vos grands-parents n'y a pas résisté ; il n'en est rien resté ! Alors de là à ce que votre grand-mère ait eu quelque tendance à se plaindre des Alliés...

— J'espère que vous aimez le gibier ? s'interposa Mme Salviac en revenant de la cuisine les bras chargés d'un énorme faitout qu'elle posa devant moi. Un de nos voisins nous a donné ce lièvre il y a trois jours, c'est à croire qu'il était prévenu de votre visite. Servez-vous. Si, si ! Mais pas comme ça, voyons ! Servez-vous copieusement. Tenez, prenez ce morceau de râble en plus, insista-t-elle. Et puis, tous les deux, vous allez me faire la promesse de garder vos souvenirs pour un peu plus tard ; la soirée n'est pas finie et, à vous entendre, je crois qu'elle sera très longue. Alors, que pensez-vous de ce lièvre ?

Il était parfait, et sublime le pomerol 1955 qui l'accompagnait !

Nourri d'une énorme et noueuse souche de chêne qu'il dégustait en de caressantes langues fauves, le feu ronronnait de contentement, comme un gros chat roux vautré sur un édredon.

— Un de mes bons amis me fournit une très vénérable grande champagne que son père produisait au compte-gouttes, ou presque, ça vous tente ? proposa Jean alors que nous venions de reprendre place dans les Chesterfield du salon.

— Je ne pousserai pas l'hypocrisie jusqu'à dire que j'accepte uniquement par politesse et pour vous tenir compagnie, dis-je, mais, dès demain, je vais devoir me mettre à l'eau minérale !

— N'en abusez pas, c'est comme ça qu'on devient hydropique ! Et puis, surtout, évitez l'eau de Vichy ! plaisanta-t-il en prenant deux gros verres ballons dans lesquels il versa un généreux fond de vieux cognac. Il est hors d'âge, expliqua-t-il, peut-être soixante ou soixante-dix ans, un nectar ! Je ne le sors que pour les gourmets et je sais que vous l'êtes. Si, si, je vous ai vu à table, vous savez déguster un vin, c'est rare. Vous n'avez pas idée du nombre de barbares ou de soiffards qui sont prêts à vider cul sec un margaux de 47, et il en est même certains qui y mettraient de l'eau, ou des glaçons ! Pour le goût aussi, vous avez hérité de votre père. Malgré son jeune âge, c'était un connaisseur remarquable, un véritable œnologue ; il avait un palais tout à fait exceptionnel. Bon, où en étions-nous ? enchaîna-t-il après avoir humé son cognac.

— Aux fiançailles de mes parents. Vous me parliez de l'opposition de mes grands-parents ; elle était si visible ?

— C'est peu dire ! Il y avait entre eux un antagonisme poli et voilé certes, mais que le plus mauvais observateur aurait décelé, tout cela entre gens bien élevés, à fleurets mouchetés. En fait, je crois que vos grands-parents ont vite compris qu'ils ne feraient jamais de leur gendre un pur et loyal disciple du Maréchal.

— Donc, si je vous entends bien, en décembre 40, mon père n'était déjà plus aussi adepte de... de, comment disait-on alors ?... la Révolution nationale, c'est ça ?

— Oui! Mais votre père, à cette époque, y croyait encore. D'ailleurs, avec moi, mais sans doute pour m'asticoter un peu, il se faisait volontiers l'avocat du régime. Je suis persuadé qu'il se posait déjà beaucoup de questions et que, s'il a un peu tardé à nous rejoindre, c'est qu'il était très déçu de voir s'effondrer son beau rêve. Oui, celui de cette France idéale que prônaient tous les discours officiels et toute la presse. Vous voyez : une France forte et saine, parce que paysanne : « La terre ne ment pas, elle! » chevrotait notre vieux Maréchal, et il se trouvait beaucoup de monde pour gober cette bourde ; une France nettoyée de ses idées impures, de ses citoyens douteux et de ses étrangers, une France repentante, enfin toutes les incommensurables et dangereuses sottises dont nous inondait journellement la radio!

« Mais, dans le même temps, je veux dire jusqu'en décembre 40, votre père voyait agir Laval, qu'il exécrait et tenait pour un voyou, et surtout les Allemands. Et puis, il y avait déjà eu les premières lois antijuives, les attaques contre les francs-maçons et de honteuses campagnes de presse, sans oublier toutes les interdictions et brimades instaurées par l'occupant.

— Alors, il a quand même fini par franchir le pas ?

— Bien sûr, mais plus tard. Je vous répète, de... disons début 41 à juillet 42, il a fait une sorte de résistance passive. J'entends par là que non seulement il ne soutenait plus les thèses de Vichy, mais ne voulait même pas en entendre parler, d'où les accrochages avec ses beaux-parents.

— Vous êtes certain que ce n'était qu'avec eux ? insistai-je car je venais de déceler comme une retenue dans sa voix, une hésitation.

— Après tout, pourquoi le taire ? dit Jean. Il but une petite gorgée de cognac, la fit rouler sous la langue, puis haussa les épaules : Oui, votre mère aussi était très vichyssoise, mais je dirais d'une façon plus sentimentale que politique. Elle aimait ce régime pour tous ses côtés eau de rose, fleur bleue, pour le culte du Maréchal, ce sauveur de la Patrie, ce noble père, rassurant comme un grand-père, pour cette espèce de démagogie sirupeuse qui dégoulinait de partout et plaisait au plus grand nombre car elle faisait oublier la défaite. Défaite qui, déjà, à en croire la propagande officielle, n'était plus le fait du gentil peuple de France, mais de quelques mauvais guides et profiteurs qu'il fallait châtier, suivez mon regard ! Votre père n'était pas dupe de tout ça, mais il était fou amoureux de votre mère, et il y avait de quoi d'ailleurs.

— Alors ?

— Alors, il y avait parfois des petites frictions sur ce sujet, même pendant leurs fiançailles. N'oubliez pas que votre père avait du caractère mais que votre mère n'en manquait pas non plus! Et moi, je le voyais un peu malheureux et je crois que, connaissant mes sentiments et mon engagement, il faisait un brin de provocation avec moi; ce n'était pas méchant. D'ailleurs, petit à petit, au fil des mois, ses sarcasmes sont devenus moins piquants, plus rares aussi.

« Et puis un jour, c'était après son mariage, en septembre 41, si j'ai bonne mémoire, non, début octobre, c'était au moment des vendanges puisque notre discussion a eu lieu au pied du pressoir, il m'a avoué : " Dans le fond, c'est toi qui as raison depuis le début. Les autres ont roulé Pétain dans la farine, et nous avec! Et quand je dis les autres, je ne pense pas qu'aux boches, il y a des Français qui ne valent pas mieux qu'eux! Moi, pendant un temps, j'ai cru que le Maréchal et de Gaulle étaient de mèche et qu'ils s'entendaient dans le dos des Allemands. Mais c'est de la foutaise, Pétain est bien trop sénile pour avoir calculé un pareil coup! Enfin, ça durera ce que ça durera... "

« C'est alors que je lui ai demandé pourquoi il ne venait pas avec nous, avec la Résistance – à ce moment-là, elle commençait à bien se structurer, à s'organiser –, il m'a répondu : " Non, je me suis fait avoir par Pétain, ça c'est sûr, mais je ne peux pas vous rejoindre, ce serait malhonnête vis-à-vis de Paulette. D'ailleurs, nous nous sommes entendus sur ce sujet. Elle ne me parle plus du Maréchal et de sa collaboration, qui n'est qu'un piège à gogos, et je ne lui parle pas de ton de Gaulle, ni de sa Résistance que je n'arrive pas encore à bien situer. Tu comprends, il me déplairait beaucoup de me lancer dans un attrape-nigaud manipulé par les communistes ! "

« Oui, n'oubliez pas que, depuis juin de la même année, le parti communiste en tant que tel s'était lancé dans la Résistance. Avant, on y trouvait déjà des membres du parti, mais ils étaient là quasiment en indépendants, pour ne pas dire en désobéissants ! Mais, après l'entrée des troupes allemandes en Russie, ça a changé, et ils se sont jetés dans la bagarre et la clandestinité ; alors, comme votre père ne les aimait pas du tout...

– Et vous n'avez pas pu le convaincre ?

– Non. Et pour tout dire, je n'ai pas vraiment essayé. Ça vous étonne peut-être, mais je m'en serais voulu de mettre de l'huile sur le feu dans son ménage. N'en tirez pas des conclusions trop rapides ; vos parents s'entendaient très bien et étaient l'un et l'autre très amoureux. Néanmoins, comme je vous l'ai dit, je devinais qu'il y avait parfois des problèmes. Alors, dès l'instant où l'un et l'autre s'étaient engagés dans une sorte de neutralité, que l'on n'était pas obligé d'approuver mais qui existait, j'aurais vraiment été un salaud de m'en mêler. D'ailleurs, sur ce point, vos grands-parents suffisaient !

– Je comprends.

– Vous êtes déçu, n'est-ce pas ? dit-il après quelques instants de silence. Mais si, je le vois. En venant ici et fort de la fin héroïque de votre père, vous vous attendiez à découvrir une sorte de Superman, ou tout du moins un monsieur qui avait résisté dès le premier quart d'heure !

– Non. Enfin si, c'est vrai, j'avais mon idée sur mon père. Mais en venant vous voir j'ai surtout voulu comprendre la phrase de ma mère : « Ton père a voulu faire de la Résistance et il en est mort. » Il y a trop de sous-entendus dans ces quelques mots, trop de mystère. Ça sonne un peu comme une punition, comme le : « Je t'avais dit de ne pas toucher aux allumettes, tu t'es brûlé, c'est bien fait pour toi ! » Et ça, il m'était impossible de le comprendre sans votre témoignage. Alors, même si la vérité est parfois moins brillante que je ne le pensais, ça n'a pas d'importance. Vos propos m'éclairent, c'est tout ce que je leur demande.

– Mais vous-même, en quoi consistait votre résistance ? demandai-je après avoir redressé la souche qui, le ventre rongé par la fournaise, avait roulé sur les chenets. Parce que, là encore, je ne sais trop sur quel pied danser, insistai-je. On nous a tellement rebattu les oreilles avec la Résistance qu'on se prendrait à croire que tous ceux qui la firent accumulèrent tant de faits d'armes que le débarquement fut presque superflu ! J'exagère, naturellement, mais, au début, c'était quoi, concrètement ?

– Rien, sourit Jean, rien, ou si peu! Allez, disons un état d'esprit, pas grand-chose. C'est vrai, c'était presque puéril. C'était, par exemple des « A bas les boches! » et des « Vive de Gaulle! » écrits sur les murs. Des affiches allemandes ou de propagande déchirées. Un refus d'aller déposer son fusil de chasse. Ainsi quand est paru l'avis, en juillet 40, si j'ai bonne mémoire, faisant obligation d'apporter à la mairie tous les fusils et toutes les munitions, j'ai été cacher tout ça dans notre chai, dans un muid vide.

« Je vous concède que c'était une résistance d'enfant de chœur, mais c'était toujours mieux que rien. Et puis je pratiquais aussi l'intoxication par le bouche-à-oreille. Et les journaux eux-mêmes me fournissaient parfois la matière première. Je me souviens, par exemple, d'un article de *La Petite Gironde*, d'août ou septembre 40, relatant qu'un saboteur avait été exécuté à La Rochelle pour avoir coupé un câble téléphonique des services allemands, entre Royan et La Rochelle. Moi, en parlant à droite et à gauche, j'ai dit que les journalistes étaient tous des vendus à l'ennemi puisque je tenais de source sûre – d'un imaginaire ami haut placé à la préfecture! – que c'étaient bel et bien mille mètres de câble qu'un commando de Français libres – on n'employait pas encore le mot résistant – avait emporté! Mentez, mentez, comme disait l'autre...

« Je me souviens aussi avoir détourné le sens d'une affiche, juste après Mers el-Kébir. C'était méritoire, car vous savez, en France et toutes opinions confon-

dues, on avait très très mal digéré ce drame, enfin...
Bref, c'était une grande affiche sur laquelle un soldat, tête en sang et drapeau français en main, était en
train de se noyer ; dessous, en grandes capitales était
marqué : N'OUBLIEZ PAS ORAN... J'ai rayé Oran d'un
trait de peinture et j'ai marqué : LE LUSITANIA ! Vous
êtes trop jeune pour comprendre ça, et moi je n'étais
même pas né lors de cette tragédie. Mais élevé,
comme tous ceux de ma génération, dans le culte de
14-18, donc dans la parfaite connaissance de ce
conflit, je savais à quel point le nom du *Lusitania*
était évocateur ! Mais je vous concède que tout cela
était bien gamin et donnait beaucoup d'arguments à
votre père pour se moquer de moi. Enfin, ce fut ainsi
pendant les premiers mois. Je voulais réagir mais
ne savais comment, alors tout était bon, même les
graffitis.

— Et ensuite ? Pour passer du stade disons « brico-
lage » au stade supérieur ?

— C'est en testant mes amis, mes relations, quelques anciens camarades d'école aussi, que nous nous
sommes peu à peu retrouvés une poignée qui pensions la même chose, à savoir qu'il fallait coûte que
coûte résister.

« Et puis, par chance, fin 40, j'ai rencontré une
jeune fille qui travaillait comme secrétaire chez un
notaire de Bordeaux. C'était celui de ma mère et
j'allais souvent à son étude pour des histoires de
loyers, de coupons, d'obligations, bref, tout un tas de
paperasses qui concernaient ma mère mais dont elle

me chargeait. C'est là que j'ai fait la connaissance de Michèle, ma future femme, eh oui...

« Elle aussi avait fui Paris en juin 40 mais, au lieu d'y remonter une fois l'alerte passée, elle avait préféré rester à Bordeaux avec sa mère et son jeune frère. Il faut dire que son père était prisonnier de guerre et qu'elle avait sauté sur le premier emploi proposé, bon emploi d'ailleurs. C'est par elle, qui était gaulliste de la première heure et qui avait de la famille, résistante également, en zone non occupée que nous avons pu, petit à petit, nous organiser.

« « Pour l'anecdote, et ça vous amusera peut-être, comme nous étions presque tous de la région et qu'elle n'est pas réputée pour être celle des buveurs d'eau, nous avons, par dérision, baptisé notre petit groupe du nom d'*aqua simplex*, histoire, pensions-nous, de brouiller les cartes ! Ensuite, début 41, grâce aux contacts que ma future femme avait pu établir avec des gens de Toulouse et de Montpellier – et j'ai alors retrouvé un de mes camarades de promotion –, nous avons rejoint le mouvement Libération et, peu après, celui de Combat.

– Bon, mais... Vous parlez de ça comme si c'était d'une grande banalité, mais qu'y faisiez-vous personnellement ? insistai-je, car je n'arrivais pas à me représenter mon interlocuteur, si calme, posé et bien élevé, en manieur de mitraillette ou en lanceur de grenades.

– Moi ? J'ai profité de l'atout énorme que nous donnait l'emplacement du domaine. Vous avez vu où nous sommes situés : assez loin des grandes routes, pas trop près de Bordeaux et surtout entourés par les vignes. Certes, les Allemands ne manquaient pas dans le coin, ils surveillaient de très près tout le trafic fluvial. Malgré cela, le domaine Château Armandine était bien placé pour recevoir les clandestins à la recherche d'un lieu de réunion ou d'un asile pour quelque temps.

« Dès août 42, nous avons hébergé ici, en le faisant passer pour un ouvrier agricole, un brave homme, épicier de son état à Paris et qui répondait au nom, peu avouable en ces temps-là, de Moshé Cahen... C'était un homme charmant qui est très vite devenu un bon viticulteur. Il a passé toute la guerre ici, et nous sommes toujours en relation. Il est gérant d'un supermarché à Baton Rouge et ne manque jamais de m'adresser ses vœux. Enfin, en 43, nous avons aussi abrité, pendant presque un mois, deux aviateurs anglais abattus en pleine nuit du côté de Lacanau. Voilà.

— Donc vous avez résisté sur place et d'une façon, comment dire, pacifique ? Enfin, je veux dire que vous n'avez rien saboté. Ce n'est pas du tout un reproche, je me renseigne, c'est tout. Je n'ignore d'ailleurs pas que ce que vous faisiez pouvait vous conduire devant un peloton d'exécution !

— Ou à Dachau..., approuva Jean. Mais il faut aussi que vous sachiez que je montais très souvent à Paris, sous couvert de démarches commerciales. J'étais, en quelque sorte, mon propre courtier en vins, ce qui me permettait de voir vos parents à chacun de mes voyages.

— Et vous alliez à Paris pour des raisons vraiment professionnelles ou pour la Résistance ? demandai-je car le ton de mon interlocuteur appelait quelques explications.

— Surtout pour la Résistance. Il faut dire que Michèle, que je m'étais déjà mis en tête d'épouser — ce que j'ai fait en octobre 44 —, était vite devenue une excellente spécialiste des faux papiers. A croire qu'elle avait un don ! Elle vous fabriquait des laissez-passer, des cartes d'identité et des passeports qui étaient de pures merveilles ; je dirais presque qu'on se les arrachait ! Mais comme on ne pouvait pas les envoyer par la poste aux destinataires, je faisais souvent le facteur entre Bordeaux et Paris. J'ai aussi transporté des tracts et des journaux clandestins, des renseignements divers. Un peu plus tard même, plusieurs fois, des boîtes de détonateurs. Et enfin, j'ai aussi fait fonction de convoyeur de fonds ; c'est fou l'argent qui m'est passé entre les mains !

— Et mon père pendant ce temps-là ?

— Il faisait son métier en région parisienne, ce qui, en cette période de restrictions, n'était pas simple !

— Non, je veux dire, connaissait-il le rôle que vous jouiez vraiment ?

— Bien entendu ! Il a toujours tout su. Soit qu'il ait deviné avant que je lui parle, soit que je le lui aie raconté. Mais c'était bien normal. Je vous ai dit, c'était presque un frère pour moi. Je ne pouvais agir autrement qu'en le tenant au courant. Il fallait bien que je lui explique les risques qu'il prenait en venant, par exemple, passer un week-end ici. En cas de descente de la Gestapo, il était bon, comme nous tous! Parce que, outre mon ami Moshé Cahen, qui, même « christianisé » en Pierre Dumas, conservait un physique et un accent très typique, il y avait, au fond du chai, en plus de mes fusils de chasse, pas mal d'explosifs et d'armes de guerre cachées dans quelques muids que nous avions baptisés « Cuvée Libération »!

— Donc mon père n'ignorait rien de tout ça lorsque la Gestapo l'a interrogé?

— Il savait tout! assura Jean en contemplant le feu, tout! redit-il, et il aurait très bien pu nous faire tous fusiller... Il connaissait tout ce que je viens de vous dire et même beaucoup plus, puisque, au moment de son arrestation, il était des nôtres depuis déjà dix-huit mois; c'est dire s'il avait rencontré du monde! Enfin, c'est ainsi..., soupira Jean avant de reprendre : Oui, il savait, dès le début – je veux dire, dès mes débuts à moi dans la clandestinité –, puisque, lorsque j'ai commencé à monter à Paris, début 42, il m'a proposé de m'héberger chez lui. Votre mère et lui habitaient rue Montorgueil, un quatre-pièces très sympathique. Je lui ai alors dit que, vu mon activité, il était très imprudent de m'accueillir. « Imprudent? Tu rigoles! m'a-t-il lancé en riant, avec un beau-père qui est en train de fayoter comme un fou pour décrocher la Francisque! Oui,

oui! La médaille! Il arbore déjà à la boutonnière l'insigne pétainiste gros comme une pièce de cent sous, mais il veut plus! Alors crois-moi, avec un tel " Ausweiss " comme beau-père, je suis à l'abri, et toi aussi! Tu coucheras chez nous, c'est assez grand. D'ailleurs nous avons une chambre vide, elle sera la tienne. » Je lui ai fait remarquer que votre mère ne serait peut-être pas d'accord et j'ai insisté sur mes activités, sans trop les détailler, mais quand même. « Eh bien, nous n'en parlerons pas, jamais, voilà tout! décida-t-il. Et nous éviterons même de parler de la guerre et de tout ce qui s'y rapporte. C'est déjà ce que je fais le dimanche midi en déjeunant chez mes beaux-parents; je ne parle de rien, comme ça tout le monde est content! » Alors j'ai accepté, et j'ai peut-être eu tort, dit Jean en haussant les épaules.

— Pourquoi tort?

— Parce que je ne suis pas certain que votre mère ait jamais été dupe; d'où les idées qu'elle s'est forgées sur mon compte et sur mon rôle dans la suite des événements. A l'époque, j'ai cru qu'elle ne se doutait de rien, mais peut-être que ça m'arrangeait de le croire! Il faut comprendre que disposer d'une chambre à Paris était très agréable et surtout très pratique. Dans un hôtel, on était toujours à la merci d'une descente de police, tandis que chez vos parents... Oui, plus j'y pense, et croyez-moi, je n'ai pas attendu votre visite pour le faire, plus je crois que votre mère, elle aussi, savait à peu près tout. Ce qui expliquerait d'ailleurs qu'elle n'ait jamais suivi votre père quand il venait ici ; elle en profitait pour aller à Royan, dans votre si belle villa...

— Et qu'est-ce que ça aurait changé si vous n'aviez pas accepté l'offre de mon père ?

— Pour lui ? Sans doute rien, quoique... Pour votre mère, je ne sais pas non plus. Mais pour moi, sans doute aurais-je moins de regrets en songeant à la façon dont votre mère, me croyant responsable, s'est coupée de tout et de nous tous, les résistants, comme si nous avions la peste. Si elle n'avait pas tout rompu, j'aurais pu lui expliquer comment tout s'est passé et peut-être aurait-elle agi différemment. Au lieu de ça, elle s'est volontairement démarquée, et vous êtes là, ce soir, pour apprendre ce que vous devriez connaître depuis votre enfance, la résistance de votre père.

9

— Je crois que c'est Malraux qui a écrit qu'on ne pouvait rien comprendre à l'Histoire si on faisait abstraction de ses données passionnelles. Et il est bien vrai que toute la période où la France fut coupée entre collaborateurs et résistants – sans oublier les attentistes – fut souvent folle, voire démente, parce que passionnelle, dit Jean qui, debout dos au feu, semblait soudain perdu dans une sorte de soliloque; et il parlait parfois si bas que j'avais besoin de toute mon attention pour ne pas perdre un mot de son monologue.

Déjà, depuis une demi-heure, Mme Salviac était venue nous saluer avant d'aller au lit. Il n'était pas loin de vingt-trois heures, mais ni Jean ni moi n'étions attentifs au temps car, si tout ce qu'il m'avait raconté m'avait apporté des détails aussi passionnants qu'inespérés, je savais bien que l'essentiel restait à dire, et j'étais prêt à passer la nuit pour l'entendre.

— Oui, la passion, poursuivit-il, c'est bien elle qui,

un jour de juin 40, le 17, a poussé de Gaulle vers l'Angleterre. Une passion folle, comme le sont toutes les vraies passions. Et c'est aussi la passion qui nous a poussés vers lui, nous les humiliés, les vaincus. Et nous venions de toutes les couches de la société, pêle-mêle, sans distinction de rang, d'origine, de situation, de fortune, de religion, de couleur même, mais tous passionnés!

« Et notez qu'en face, chez les Vichyssois, c'était pareil, à cette différence près que je ne ferai jamais à Pétain l'honneur de croire qu'une quelconque passion l'animait; il avait depuis longtemps passé l'âge d'être sensible à ce genre d'appel! Mais ses fidèles, eux, agissaient par passion; ils y croyaient vraiment à leur Révolution nationale! Je ne parle bien sûr pas des quelques affreux magouilleurs qui lui emboî-tèrent le pas par opportunisme ou calcul – on a même trouvé ce genre de voyous dans la Résistance à partir de début 43! Non, je parle des vrais pétainistes; par certains côtés, c'étaient des purs, ils croyaient vrai-ment agir dans la bonne direction et pour le plus grand bien du pays. Ça ne les excuse pas pour autant, mais ça confirme bien que l'enfer est pavé de bonnes intentions! Oui, ils se trompaient, et lourde-ment, et, dans ce genre de conflit, quand on se trompe, il faut payer, c'est la règle!

« La preuve, c'est bien pour leur faire comprendre qu'ils se trompaient de combat que tant de résistants furent torturés, incarcérés, fusillés, assassinés. C'est la rançon que les passionnés de Vichy infligeaient aux passionnés d'en face, aux terroristes que nous étions ! Mais la passion, c'est comme les coups de foudre, ça ne se commande pas, ça ne se calcule pas. Et si je vous ai, peut-être trop longuement, parlé de cette période où votre père ne penchait ni d'un côté ni de l'autre, avec cependant une attirance pour l'ordre, donc pour Vichy, c'est pour essayer de vous faire comprendre qu'il n'était pas suffisamment touché, au sens profond du terme. Il ne se désintéressait pas de l'Histoire que nous vivions, mais il ne la trouvait peut-être pas assez attirante – ou repoussante – pour prendre vraiment parti et se jeter à corps perdu dans la bataille.

« Car c'est enfin ce qu'il fit, d'une façon folle, passionnée, passionnelle même, dès l'instant où lui fut révélé – et je dirai d'une manière fulgurante – le chemin à suivre. Jusque-là, sans doute trouvait-il que tout, de part et d'autre, était insaisissable, peut-être pas assez net, tranché. Et il est vrai qu'on pouvait s'interroger ! Certes nous étions vaincus, mais les Allemands n'occupaient que la moitié de la France ! Certes existaient déjà d'affreuses lois racistes, mais étaient-elles appliquées aussi rigoureusement qu'on le prétendait ? Certes il y avait une résistance, mais était-elle vraiment sérieuse ou simples cocoricos d'expatriés que reprenaient en écho, un peu niaisement, quelques illuminés comme moi ? Des illuminés qui avaient peut-être raison sur le fond, mais aucun avenir sur la forme !

« Je schématise, naturellement, mais je crois que

votre père raisonnait ainsi. Oui, je pense vraiment que tel était son état d'esprit jusqu'à ce jour de juillet 42, un jour d'été qui aurait dû être comme tous les autres, chaud, beau. Je ne dirai pas très joyeux, car nous étions en guerre, mais un jour de vacances quand même.

— J'étais à Paris depuis la veille, poursuivit Jean. J'étais monté, les chaussettes et le slip bourrés de faux papiers que je devais remettre, le soir même, devant le métro Abbesses, à une toute jeune fille. Je ne l'ai pas oubliée. C'était presque une gamine, avec des nattes, une jupe plissée, des chaussettes blanches jusqu'aux genoux et un petit chemisier blanc, à smocks, sur lequel, par provocation, elle avait épinglé, à hauteur du sein gauche, deux toutes petites fleurs en tissu, un bleuet et un coquelicot. Elle n'avait sûrement pas vingt ans, était mignonne à croquer et répondait au prénom — vrai ou faux ? — de Jacqueline. Je lui ai remis tous les faux papiers, glissés dans un numéro de ce torche-cul qui avait nom *Je suis partout*. Nous nous sommes souri et elle a filé vers Montmartre. Je ne l'ai jamais revue. J'espère qu'elle est aujourd'hui une grand-mère comblée et qu'elle raconte sa résistance à ses petits-enfants, pour qu'ils sachent et n'oublient jamais.

« Je suis arrivé chez vos parents à l'heure du dîner. Votre père, prévenu de ma visite, m'attendait, et nous étions l'un et l'autre heureux de nous revoir et de passer une soirée entre amis en dégustant une bonne bouteille. Oui, vu notre profession à l'un comme à l'autre, il eût été pitoyable que nous manquions de vin! Votre mère était en vacances, depuis trois semaines, à Royan naturellement. Votre père m'expliqua qu'elle était assez fatiguée. Il est vrai, mais faut-il vous le rappeler, qu'elle était enceinte de vous et dans son sixième mois.

« Nous avons pris l'apéritif – mais oui, votre père avait aussi un excellent muscat de Rivesaltes – et nous sommes ensuite passés à table. Et là, voyez, au risque de vous surprendre, je peux même vous dire qu'il y avait un demi-gigot aux haricots! Parfaitement, en pleine guerre! C'était un événement d'importance, car c'était le genre de denrée qu'on ne trouvait qu'au marché noir; or, jusqu'à ce jour, je pensais que votre père ne se livrait pas à cette sorte de trafic.

« Il dut voir mon étonnement et lança en riant : " Ne t'inquiète pas, il ne m'a rien coûté! Allez, ne fais pas cette tête! Je suis passé chez mon beau-père, avant hier. Il partait pour Royan et s'apprêtait à emporter ce morceau. Je lui ai fait la démonstration que ce demi-gigot – du pré-salé, s'il te plaît! – ne supporterait pas le voyage. C'est vrai, le temps était très orageux! Je lui ai parlé d'intoxication, de botulisme, de dysenterie, et il m'a cru, ce brave homme! Quant aux haricots, j'avoue, à ma grande honte, qu'il m'en est quasiment tombé un paquet dans la poche lorsque j'ai ouvert le buffet pour y chercher le récipient adéquat qui m'a permis d'apporter ce gigot jusqu'ici ! " Vous voyez, la soirée s'annonçait sympathique, et elle le fut car nous étions heureux d'être ensemble. Moi j'étais rassuré, car débarrassé des faux papiers compromettants, et pas inquiet au sujet de mon rendez-vous du lendemain ; il consistait simplement à donner – oralement – cinq noms et cinq adresses dans trois villes de la zone Sud. Travail de routine, sans aucun danger, sauf si le rendez-vous était piégé, bien entendu...

« Je me souviens, nous n'avons presque pas évoqué la guerre, ce soir-là, mais parlé du domaine, du travail de votre père, de votre mère aussi qu'il se préparait à rejoindre, fin juillet, pour une semaine. C'est donc l'estomac euphorique et la conscience en paix que nous nous couchâmes en cette veille du 16 juillet 1942...

– C'est terrible la mémoire, murmura Jean. Elle se refuse parfois obstinément à retenir ce que l'on ne voudrait pas oublier et conserve, intacte et avec tous ses détails, la scène que l'on aimerait gommer, celle qui, on le devine, vous poursuivra jusqu'au dernier souffle. Celle qui, parfois, vous jette en pleine nuit, debout au pied du lit, cœur battant la chamade et larmes aux yeux.

« En ce matin du 16, ce ne fut pas le jour qui m'éveilla. Pourtant, à cause de la chaleur, je dormais fenêtre et volets ouverts. Avec le couvre-feu, donc l'absence quasi totale de tout véhicule – seule parfois ronronnait une voiture allemande – on pouvait dormir sans crainte d'être réveillé par un pot d'échappement ou un coup de frein. Et c'est pourtant ce qui me sortit du lit. C'était tellement incongru, tellement inhabituel, que je crus d'abord avoir rêvé. Pourtant, par la fenêtre montaient des ronflements connus, des grincements de boîtes de vitesses qui ne trompaient pas, mais qui, pourtant, n'avaient aucune raison de se manifester à cette heure et avec une telle ampleur.

« Je sautai du lit et atteignis la fenêtre pour essayer de comprendre, lorsque votre père entra dans ma chambre. Je me souviens qu'il n'avait pour tout vêtement qu'une sorte de caleçon chiffonné qui ne cachait pas grand-chose; il est vrai que je n'étais guère plus vêtu!

« " Mais qu'est-ce que c'est que ce bordel ? " me demanda-t-il dans un bâillement. Je lui dis que je n'en avais pas la moindre idée et pris place à côté de lui, au bord de la fenêtre. En bas, dans l'obscurité pâlissante, se devinaient, le long de la rue, plusieurs silhouettes des trapus autobus parisiens de cette époque. Mais ce n'était pas leur présence, pourtant étrange en ces lieux et à cette heure, qui nous intrigua le plus. C'était, sur les trottoirs, presque devant chaque immeuble, les groupes d'agents de police autour desquels, comme des chiens chefs de meute, s'agitaient des hommes en civil.

« " Qu'est-ce qu'ils foutent là à cette heure ? s'étonna votre père. Et ce ne sont même pas des

177

boches, remarqua-t-il. Alors qu'est-ce qu'ils attendent ? Qu'est-ce qu'ils cherchent ? »

« Je n'en savais pas plus que lui, et je crois bien avoir même dit qu'il n'y avait sans doute aucune raison de s'inquiéter. Malgré cela, allez savoir pourquoi, poussé par je ne sais quelle intuition, je lui fis remarquer qu'il était peut-être raisonnable de s'habiller. " Tu ne crois quand même pas qu'ils sont là pour nous ? plaisanta-t-il. De toute façon, moi, je n'ai pas mon compte de sommeil ! "

« Nous étions toujours penchés à la fenêtre et je m'apprêtais à aller passer un pantalon lorsque tout se déclencha soudain en une sorte de maelström terrifiant. En quelques secondes, ce fut une course précipitée vers les immeubles, des appels de sifflets à roulette et surtout, d'un seul coup, le brouhaha affolant d'hommes braillant des ordres, frappant du poing aux portes, ou les fracturant à grands coups d'épaule.

« Alors, un peu partout dans les bas étages des immeubles, ceux que l'ombre de la nuit nimbait encore, s'allumèrent les ampoules et claquèrent les volets pour donner un peu de clarté et pour mieux voir qui venait d'entrer. Et, au-dessus de ce sinistre vacarme, déjà lancinants et pathétiques, s'élevaient les gros sanglots des enfants apeurés que l'on venait de réveiller et qui ne comprenaient rien. Très vite, à ces pleurs déjà révoltants car tellement innocents, se mêlèrent les plaintes des mères, les protestations ou même simplement les questions des pères.

« Et toujours, sinistres et résonnant dans la rue,

s'échappant par les fenêtres ouvertes, ces ordres bru-
taux : " Dépêchez-vous! On vous laisse dix minutes
pour vous habiller. Prenez le strict minimum comme
affaires! Dépêchez-vous, dépêchez-vous! "

« " Mais c'est une vraie rafle! gronda soudain votre
père. Tu as vu? Ces salauds embarquent tout le
monde vers les autobus! "

« L'appartement de vos parents était situé au quatrième étage et, de là, le jour se levant, on voyait bien
ce qui se passait sur les trottoirs et les gens qu'on y
alignait avant de les pousser vers les véhicules. On
voyait tout.

« Non, regarde, ai-je alors dit, car je venais de
comprendre, ils n'embarquent pas tout le monde,
regarde mieux...

« En bas, cernés, poussés par les uniformes, défilaient sous nos yeux des hommes, des femmes et des
enfants qui tous, sans exception, arboraient l'étoile
jaune, ce signe de David qu'une toute récente loi leur
imposait de porter.

« " Mais, bon Dieu, pourquoi les embarquent-ils?
dit votre père. Regarde, il y a même les gosses!
Regarde celui-là, il sait à peine marcher! C'est fou,
cette histoire! "

« C'était fou, effectivement. Ce ne fut qu'un peu
plus tard que nous sûmes que c'était surtout mons-
trueux. Et ce fut votre père qui réagit soudain, qui y
pensa. Il est vrai que, moi, je ne savais pas. Je ne
venais pas assez souvent chez vos parents pour
connaître les voisins de palier et savoir ainsi que ceux

d'à côté étaient juifs. Je les avais souvent croisés pourtant, mais pas depuis que le port de l'étoile était obligatoire. Et, n'en déplaise à l'immonde propagande d'alors qui proclamait qu'on les repérait au premier coup d'œil, voire à l'odeur, leur origine sémite ne m'avait jamais frappé.

« C'était un petit couple, à peu près de notre âge, c'est-à-dire dans les vingt-sept, vingt-huit ans. J'ignorais quelle était leur profession et peut-être n'en avaient-ils pas d'officielle, car, en 42, pour un juif, travailler relevait de la prouesse, presque toutes les portes leur étaient fermées... Je ne savais donc ce qu'ils faisaient, mais je n'oublierai jamais leurs deux enfants d'à peu près cinq et sept ans, que nous entendions parfois rire ou pleurer à travers la cloison. Je n'oublierai jamais non plus la jeune femme, non qu'elle fût belle, au sens académique du terme. Mais elle avait une certaine joliesse, un charme, et surtout émanait d'elle cette aura apaisante et rassurante que dispensent, sans le savoir, certaines femmes en qui on devine instantanément qu'elles sont mères, comblées de l'être et solides. Solides et surtout prêtes à la bataille pour la défense de leurs petits, mais aussi de tous les petits du monde.

« J'entends encore votre père grommeler et, dans le même temps, je le vois bondir dans sa chambre, s'habiller et lancer : "Mes voisins sont juifs, il faut les aider ! On ne peut pas laisser faire ça ! J'ignore où ces salauds de flics veulent les embarquer, mais peu importe ! On n'a pas le droit de sortir les gens du lit et de les traîner je ne sais où ! En France, on n'a pas le droit !"

« Je m'habillais aussi vite que lui et nous sortîmes sur le palier. Mais, déjà, je me doutais qu'il était trop tard car beaucoup de bruit et d'éclats de voix s'élevaient de l'appartement voisin.

« Je vois encore l'homme d'une quarantaine d'années, un civil, au visage sec et à la grosse moustache à la Laval, mains derrière le dos et jambes écartées, campé devant la porte ouverte de l'appartement d'à côté.

« Je vois toujours, au centre de la pièce d'entrée qui servait sûrement de salle à manger, les uniformes bleus des policiers et, s'agitant, protestant à pleine voix, notre petite voisine. Elle était encore en chemise de nuit mais ne prêtait aucune attention à sa tenue, ni au fait que le linon translucide du vêtement ne cachait rien de ses seins lourds, aux larges aréoles d'un brun très foncé, ni de son ventre assez bombé, au bas duquel se devinait une épaisse toison noire.

« Je vois l'homme, en pyjama, en train de parlementer avec un gros gardien de la paix que je n'apercevais que de dos et qui, toutes les dix ou vingt secondes, haussait les épaules et écartait les bras en de grands et impuissants battements d'ailes bleues, comme pour expliquer qu'il n'était pour rien dans tout cela, que cette affaire le dépassait et qu'il obéissait aux ordres, rien de plus.

« Je vois aussi, serrés contre les cuisses de leur mère qu'ils étreignaient à pleins bras, les deux

181

enfants apeurés, presque nus, muets, mais dont le regard noir, immense, voletait de leur père aux agents de police, de leur mère à leur père, à la recherche d'une explication, d'un mot rassurant, d'un apaisement. Et, alors que les voix et les cris d'adultes se croisaient au-dessus de leur tête, je vois surtout le plus grand des gosses prenant peu à peu conscience de la gravité de la situation et de ce drame dont il était l'un des acteurs. Et je vois enfin le flot de larmes silencieuses qui jaillirent soudain, malgré tous les efforts qu'il faisait pour les retenir ; et ses lèvres tremblaient, mais il se taisait, stoïque, car déjà son jeune frère l'observait avec un étonnement d'abord incrédule, puis apeuré.

« J'entends toujours l'homme, notre voisin, qui tentait de comprendre, de savoir pourquoi on voulait les emmener : "Et pour aller où ? demandait-il. – Pas loin, pas loin ! Allons, habillez-vous vite, on perd du temps ! répondait le gros gardien de la paix. – Et pourquoi voulez-vous qu'on vous suive ? – On a des ordres, c'est juste un contrôle ! – Alors pourquoi voulez-vous nous faire prendre une valise ? – Allons, habillez-vous tous. Nous, on a des ordres ! – Et on n'a pas à les discuter ! lança soudain le policier en civil toujours campé devant la porte. On s'habille, on se presse et surtout on ne palabre pas, on ferme sa gueule. Ici, ce n'est pas le mur des Lamentations ! – Si, justement, on discute ! intervint alors votre père. Qu'est-ce que c'est que ce cirque ? Vous vous croyez chez les Bouglione ? Pourquoi embêtez-vous mes voisins ? Je les connais depuis des années et je peux répondre d'eux! – Sans blague ? ricana l'homme en civil, vous répondez d'eux ? Alors vous êtes baptisé au sécateur, vous aussi ? Alors, vous êtes youpin ? – Oui, à peu près autant que vous ressemblez à Joséphine Baker! lança votre père en entrant dans l'appartement où, déjà, s'énervaient les policiers. – Vous n'avez rien à foutre ici! " hurla le civil en attrapant votre père par le bras et en essayant de le ramener sur le palier.

« Il se dégagea vivement, fit face et gronda : "Portez une fois de plus la main sur moi et vous finirez votre carrière de flic à Timimoun; la plage y est grande, vous pourrez y faire des pâtés! – Débarrassez-moi de ce tocard! ordonna alors le civil aux agents, vérifiez ses papiers, prenez son nom et embarquez-le au poste s'il fait encore des histoires! Moi, je m'occupe des youtres et ça ne va pas traîner! Bon Dieu! Qu'est-ce qu'on perd comme temps avec ces parasites! "

« Tout alla assez vite alors, les agents nous firent entrer dans l'appartement de vos parents, mais sans brutalité. Et c'est presque en s'excusant que l'un d'entre eux réclama nos papiers; il n'y jeta qu'un coup d'œil distrait.

« "Bon, maintenant vous restez là et vous ne bougez plus, dit-il en ressortant, et ne nous compliquez pas davantage le travail; nous, on a des ordres! On doit embarquer tous les porteurs d'étoile! – Mais pas les femmes ni les gosses! protesta votre père. – Tous, on a des ordres..."

183

« C'est alors qu'un bruit de lutte, de gifles et des meubles renversés et enfin des hurlements s'élevèrent de l'appartement voisin. Hurlements d'adultes, mais aussi d'enfants, fous de peur, que l'on tente de séparer de leur mère.

« Et j'entendrai toujours le cri de l'homme ; votre père m'a appris un peu plus tard qu'il avait fui l'Allemagne quatre ans plus tôt, avec femme et enfants. Il cria comme un dément : "Pas ça, Rébecca ! Pas ça ! Arrête !"

« Et puis, entrant par la fenêtre toujours ouverte, il y eut un long gémissement de détresse, le bruit mat d'un corps s'écrasant sur le trottoir et les murmures horrifiés des policiers qui, en bas, poussaient toujours les prisonniers vers les autobus.

« "Pas ça !" murmura votre père en écho. Puis il me rejoignit au bord de la fenêtre où je venais de me précipiter, se pencha à son tour.

« Sur le trottoir, juste à côté d'un autobus, maintenant bondé d'hommes et de femmes hébétés, prostrés, se découpaient trois corps, ceux d'une femme en chemise de nuit et de deux enfants, presque nus, qu'elle tenait encore par la main. Et autour de leur tête il y avait trois étoiles pourpres dont les branches grossissaient en serpentant vers le caniveau. Il y avait au moins quinze ans que je n'avais pas vu pleurer votre père.

— La rafle dura deux jours, poursuivit Jean après plusieurs secondes de silence. Elle se déroula sous l'œil généralement passif de l'ensemble d'une population peu intéressée par le sort de quelque treize mille personnes; il est vrai qu'on était en vacances... Et puis ce n'était pas la première rafle, même si c'était la plus importante.

« Chez vos parents, le calme revint très vite, car vos petits voisins étaient les seuls juifs de l'immeuble. C'est un homme tétanisé, muet, que les gardiens de la paix portaient presque, que nous vîmes sortir moins de dix minutes après le drame. En bas, les trois corps avaient disparu, emportés en toute hâte par une ambulance. Votre voisin se laissa pousser dans l'autobus, déjà surchargé, qui n'attendait que lui et qui démarra aussitôt.

« Sur le trottoir, trois auréoles sombres se devinaient encore, malgré les seaux d'eau expédiés par le concierge. "Pourquoi n'avons-nous rien fait ? demanda soudain votre père d'un ton plein de reproches. — Et que pouvions-nous faire ? dis-je. — Je ne sais pas ! jeta-t-il rageusement, mais il fallait faire quelque chose, tuer ces bâtards de flics ! Voilà, les exterminer, tous ! "

« Et comme je lui faisais valoir que ses propos manquaient de sérieux, il me lança : " Alors, c'est ça, ta foutue Résistance ? Toi, tout à l'heure, tu n'as même pas ouvert la bouche ! Rien dit, rien fait, rien vu peut-être ? C'est comme ça que tu te bats ? C'est tout ce que votre planqué de général vous dit de faire ? Ne pas bouger et laisser embarquer vos voisins sous vos yeux! Ah! elle est chouette, votre putain de Résistance!"

« Il était livide de colère et je compris qu'il était vain de vouloir le raisonner et qu'aucune de mes explications ne seraient entendues tant qu'il n'aurait pas retrouvé son calme. D'ailleurs, il était bien vrai que je n'avais rien dit et rien fait. Et il m'arrive encore de me demander s'il était possible d'intervenir efficacement pour aider ce petit couple et ces deux enfants, aux yeux si noirs, dont le seul tort était d'être juifs. Franchement, je crois que non, mais qui sait ?...

« C'est après avoir été se raser, et alors que je préparais dans la cuisine l'ersatz de café du matin, que votre père me rejoignit. Je notai qu'il était toujours aussi marqué par ce que nous venions de vivre, mais que sa bouillonnante colère était tombée. Celle qui l'animait toujours, et qui n'allait plus le quitter, était raisonnée, froide, et par certains côtés inquiétante. Il était maintenant prêt à tout, même à tuer, et pas sur un coup de tête, de sang-froid.

« "Excuse-moi pour tout à l'heure, dit-il, c'est toi qui as eu raison : on ne pouvait rien faire. Avec ces ordures, je viens de le comprendre, il faut frapper à coup sûr, comme ils le font eux-mêmes. Ce matin, ils ne nous ont laissé aucune chance d'intervention; alors, on s'est fait avoir, je n'oublierai pas cette leçon..."

« C'est un peu plus tard dans la matinée, alors que je me préparais à sortir pour me rendre à mon ren-

dez-vous – devant la tombe de La Fontaine au Père-
Lachaise – que votre père, maintenant très posé,
m'annonça que son choix était fait et que, désormais,
rien ni personne ne l'empêcheraient de rejoindre la
Résistance. "Je n'ai que trop attendu. Je n'ai pas
voulu voir tout ce qui se fomentait, se préparait et qui
a abouti à l'ignominie de ce matin. Et ce n'est qu'un
début! Quand on est capable d'organiser une telle
rafle, on ne s'en tient pas là; c'est ce qu'a compris
notre voisine, ils l'avaient déjà chassée d'Allemagne...
Ce sont des ordures, ils n'en resteront pas là, il faut
donc les détruire! "

« Je me souviens très bien m'être alors fait l'avocat
du diable. J'entends par là que je voulais à tout prix
éviter qu'il ne se lance dans une aventure – notre
aventure – d'une façon trop... trop viscérale, impul-
sive, et qu'il n'en vienne très vite à regretter son
choix.

« Et puis je songeais à votre mère, dont je connaissais les sentiments, et à vos grands-parents, engagés
derrière le Maréchal. Mais votre père était très
déterminé et surtout très posé : "Ne te fatigue pas,
dit-il; de toute façon, un jour ou l'autre, je vous
aurais rejoints. Ce qui s'est passé ce matin me fait
venir un peu plus tôt, mais pas plus; ce n'est pas à toi
que j'apprendrai que, lorsque le raisin est mûr, on
doit vendanger!"

« J'insistai encore et allai même jusqu'à lui rappeler ce qu'il m'avait dit. A savoir que votre mère et lui
avaient passé une sorte de pacte de non-agression,

chacun restant libre de ses opinions à la seule condition de ne pas tenter de les imposer à l'autre.

« "Je n'ai rien oublié de tout ça, m'assura-t-il, mais continuer à appliquer ce système, que je dénonce désormais, équivaudrait pour moi à me complaire dans la pire des lâchetés; celle des Ponce Pilate qui savent et qui, malgré cela, se lavent les mains. Car passe encore, à l'extrême rigueur, que l'on soit lâche si l'on n'a pas exactement toutes les données du problème : on peut alors s'abriter derrière le doute. Mais comment veux-tu que je doute maintenant ? Impossible! Vois-tu, je veux pouvoir me regarder dans la glace le matin, en me rasant. Tout à l'heure, quand je l'ai fait, je me suis trouvé une sale gueule d'indécis, de trouillard, de pleutre. Je ne veux plus la voir, jamais!"

« Je lui expliquai alors que, dans le Mouvement, nous étions très réticents avec les gens mariés lorsque nous apprenions que l'un des deux conjoints soit ne soutenait pas les idées de l'autre, soit même, tout en les approuvant passivement, refusait de le voir s'engager; on ne peut en vouloir à personne de ne pas avoir l'étoffe d'un époux ou d'une femme de terroriste! Nous agissions ainsi par prudence et aussi parce que nous savions très bien qu'une recrue n'était pas tout à fait en pleine possession de ses moyens si elle n'avait pas l'accord et l'encouragement de la personne qui partageait son existence. Or nous avions besoin d'hommes et de femmes inébranlables, notre vie à tous en dépendait.

« Votre père me répondit alors que ce problème ne se poserait jamais avec lui, qu'il serait résolu au plus vite et au mieux. Et il était tellement sûr de lui que j'ai alors compris qu'il avait déjà tout prévu, tout envisagé, tout calculé, et sans doute depuis des mois. Simplement et jusque-là s'était-il retenu de faire le dernier pas qui le séparait encore de nous. Je crois que Rébecca, sa petite voisine, lui donna à lui aussi la main, avant de s'élancer par la fenêtre... Je sus alors que rien ne le ferait changer d'avis, d'autant qu'il me prévint en me lançant : "Et si vous ne voulez pas de moi, les gars, je chercherai ailleurs, ou je travaillerai en solitaire. Mais avoue que ce serait quand même un peu bête, car je ne crois pas qu'il y ait pléthore d'hommes ayant envie de se battre!"

« Je lui promis de parler au plus tôt de lui à mes amis et surtout à notre responsable, et de le tenir au courant ; pour l'heure, je ne pouvais décider seul.

« Mais surtout, lui dis-je, ne fais rien avant que je te contacte ; toute action doit être calculée, pensée ; nous nous méfions comme de la peste des initiatives indépendantes, elles n'entraînent que des catastrophes et des prises d'otages! Et maintenant, il faut que je te quitte, je dois aller à mon rendez-vous.

« "Et moi au travail, dit-il, j'ai deux clients à voir à Bercy, on part ensemble?"

« Ce que nous fîmes. C'est en remontant avec son vélo, qu'il remisait à la cave, que votre père, que j'attendais devant la porte cochère, fut hélé par les concierges. Lui, c'était un petit bonhomme grassouil-

189

let, malgré les restrictions ; il avait le teint rubicond,
une gentille bedaine d'amateur de Picon-bière et un
accent parisien tellement accentué que je le soupçonnais presque de le cultiver ! Quant à elle, je ne
saurais mieux la décrire qu'en évoquant une musa-
raigne ; c'était une femme sèche, au nez pointu, aux
dents jaunes et à la voix acide.

« Je ne sais trop ce qui leur est passé par la tête à
tous les deux, mais le fait est qu'ils lancèrent à votre
père, elle : "Alors, m'sieur Leyrac, z'avez vu ce net-
toyage de youpins, ce matin ?"

« Et lui de renchérir en faisant claquer ses bretelles : "Ouais, il était grand temps qu'on dératise
l'immeuble, pas vrai, m'sieur Leyrac ?"

« Votre père s'est arrêté devant eux, les a dévisagés
lentement. Il était très pâle, et je crus, un instant,
qu'il allait leur sauter à la gorge. Mais c'est en souriant qu'il leur a lancé : "Dératiser ? La preuve que
non, vous êtes encore là tous les deux !"

« Je n'ai nullement été étonné, un an plus tard et
alors que vos parents n'habitaient plus là,
d'apprendre, de la bouche même de votre père – mi-
sérieux, mi-rigolard – que la loge des concierges avait
été plastiquée pendant que ses occupants balayaient
l'escalier. Ils étaient donc indemnes, mais morts de
peur, et devaient désormais loger à la cave car il ne
restait rien de leur deux-pièces de fonction : "Pas une
grosse perte, dit votre père, c'était un vrai trou à
rats !"

10

— Vous ne boiriez pas quelque chose de frais ?
Moi, j'ai la gorge terriblement sèche, pas vous ?
demanda Jean.

J'avais aussi la gorge sèche, mais ce n'était pas
dû à la soif et encore moins à ma conversation. En
revanche, ce que je venais d'entendre... Depuis
presque une heure, mon hôte avait parlé seul et je
n'avais eu besoin de le relancer à aucun moment,
ni même de me faire préciser tel ou tel point. Plus
il avançait dans sa narration et ses souvenirs, plus
son récit était net, et de plus en plus net, pour moi,
le portrait de mes parents. Portrait qui m'était
jusque-là totalement inconnu et qui me plongeait
dans un sentiment étrange, à la fois plein de déception et de fierté, d'étonnement et d'attente. Car plus
rien ne ressemblait à l'idée que je m'étais forgée
d'eux.

Au sujet de mon père, Jean avait finalement raison. Avant qu'il ne parle et qu'il n'explique, je
m'étais fait mon idée et j'avais établi un portrait,

certes flou par manque de renseignements, mais un portrait d'homme déterminé, fort, héroïque même, conforme à cette fin qui avait été la sienne, celle du résistant mort à Dachau, à l'âge de vingt-neuf ans. Or ce n'était pas exactement cela que me dévoilait Jean.

Quant à ma mère, j'en conservais le souvenir très doux d'une femme tendre, mais peu loquace, souvent lointaine mais quand même attentive, qui m'avait toujours donné l'impression de vivre et d'évoluer d'une façon un peu distante, un peu réservée, un peu étrangère à son entourage. Et je commençais maintenant, plusieurs années après sa mort, à comprendre enfin pourquoi.

Et je comprenais aussi quelques réflexions que mon beau-père me lançait parfois lorsque, gamin, j'avais tendance à vouloir faire partager à ma mère toute mon exubérance, mon enthousiasme, mes coups de cœur : " Laisse-la, disait-il gentiment car c'était vraiment un homme bon et patient. Tu vois bien, en ce moment, ta mère est ailleurs. " Il avait raison, et grâce à Jean je devinais maintenant le pourquoi de cet ailleurs auquel, enfant, je ne comprenais rien.

Et je comprenais aussi peu à peu le laconisme de ma mère, pour ne pas dire son mutisme lorsque je tentais de la faire parler sur certaines périodes de sa vie. Périodes terribles sans doute puisqu'il était manifeste qu'elle avait tout essayé pour les rayer de sa mémoire, et par là même m'en priver, en s'enfermant dans le silence.

— Que puis-je vous proposer ? redemanda Jean.

— Vous savez, à cette heure... Vraiment, je suis confus de vous faire veiller si tard !

— Ne plaisantez pas ! A mon âge, toute heure de sommeil prise sur la nuit est une heure de vie que l'on gagne ! Allons, trêve de balivernes oiseuses ! que diriez-vous d'un doigt de scotch dans un grand verre, avec beaucoup de glaçons et d'eau ? Moi, c'est ce que je vais m'offrir.

— Alors je vais vous suivre, une fois de plus...

C'est après m'avoir tendu un verre que Jean reprit son récit sans même que j'aie besoin de l'interroger.

Devant nous, la cheminée, sans cesse rechargée par nos soins, irradiait une chaleur de forge.

— J'ai revu votre père ici-même, au début du mois d'août. Contrairement à son habitude, il n'est pas venu pour un week-end et il est arrivé ici un dimanche soir au volant de la Novaquatre à gazogène qu'il empruntait à son père lorsqu'il descendait dans la région. Je me souviens qu'il a attendu que ma mère rejoigne sa chambre pour m'annoncer ce qu'il avait à me dire ; j'étais assis, heureusement... : " Je ne sais pas où tu en es avec tes amis à mon sujet, commença-t-il, mais désormais ça n'a plus aucune importance. Avec vous, ou avec d'autres — et, s'il le faut, j'irais jusqu'à rejoindre les rouges ! — ou même tout seul, je ne reculerai plus. J'ai tout réglé pour une durée indéterminée, car, hélas, le temps ne

193

dépend pas de moi, mais j'ai tout réglé. " Et comme je
ne comprenais pas bien, il insista : " Tu me connais,
je n'ai jamais fait dans la demi-mesure et je déteste
les cotes mal taillées, c'est bien pour ça que je m'en
veux d'avoir trop attendu. Jusque-là, j'ai tergiversé et
ce n'est pas dans mes habitudes. Tu sais que j'exècre
aussi l'hypocrisie et le mensonge, et, comme je m'en
voudrais toute ma vie de mentir à Paulette et aussi de
lui faire courir le moindre risque, j'ai décidé de me
séparer d'elle pour la durée de la guerre, peut-être
qu'elle finira très vite... Et puis, les marins partent
bien pour des mois ! – Mais tu es complètement fou !
ai-je protesté, tu n'as pas le droit ! – Au contraire !
m'assura-t-il. Ce qui m'est interdit, c'est de me lancer dans cette affaire, où je vais risquer ma peau, et
d'entraîner Paulette dans cette histoire et dans une
cause qu'elle refuse d'épouser. J'arrive de Royan,
nous nous sommes expliqués, calmement, poursuivit-il. Et, dans le fond, nous venons de concrétiser
une décision que nous aurions pu prendre depuis des
mois. Oui, ça ne pouvait pas finir autrement... "

« Il vit que je réalisais mal et ajouta : " Souviens-
toi, je t'avais dit que Paulette et moi en étions arrivés
à ne plus du tout parler ni de guerre, ni de résistance,
ni de collaboration, ni de Londres ni de Vichy ; alors,
tu sais, dans les temps où nous vivons, ça réduit
sacrément la conversation ! Et puis, ce que je ne
t'avais pas dit, c'est que Paulette m'a aussi prévenu
un jour qu'il faudrait que je choisisse entre elle et...
vous. Et ne va pas lui jeter la pierre ! N'oublie pas

qu'elle est coincée entre moi et ce qu'elle croit! Eh oui, elle y croit toujours, à sa Révolution nationale! Pour moi, c'est une dangereuse utopie, de plus en plus récupérée par des ordures, mais ça, elle ne le voit pas! Et puis, elle a ses parents que malheureusement elle voit beaucoup trop souvent et qui eux filent un mauvais coton, surtout son père... Moi, tu le sais, ça fait plusieurs mois que je ne crois plus que le régime de Vichy sera bon pour nous. Alors voilà, mon choix est fait. Et si tu penses un jour que j'ai trop attendu pour me décider, n'oublie pas Paulette...
– Eh bien justement! Personne ne t'en voudra jamais de ne pas avoir voulu plaquer ta femme pour courir l'aventure, personne! – Si, moi! Moi, je m'en voudrai! dit-il. J'ai déjà le sentiment de ne pas avoir été foutu de la convaincre de se ranger à mon avis, c'est-à-dire de votre côté. Il faut croire que je n'ai pas été bon, que mes arguments étaient mauvais et ma plaidoirie nulle! Et même quand je lui ai parlé de la rafle de juillet, ça n'a pas suffi. Elle est toujours persuadée qu'on a ramassé les juifs uniquement pour les regrouper dans je ne sais quel bled de Pologne et qu'ils reviendront dès que la guerre sera finie. Elle le croit vraiment, et de bonne foi, puisque ce sont les journaux qui le disent! Mais moi, je suis certain que toutes ces explications ne sont que propagande! Je ne sais trop ce qu'ils vont faire de tous ces gens, mais crois-tu que ma petite voisine se serait jetée par la fenêtre, avec ses gosses, si elle n'avait pas su, elle! Mais je n'ai pas été bon pour expliquer tout ça à

195

Paulette, pour la convertir, si j'ose dire. Tu la connais, quand elle a une idée en tête ! "

« J'insistai encore et tentai de lui faire comprendre que son attitude n'était pas raisonnable, d'autant que je savais très bien que vos parents s'adoraient ! " Justement, coupa-t-il, je ne veux faire prendre aucun risque à Paulette ! Aucun ! Supposons, à Dieu ne plaise, que je sois arrêté ; pense à son avenir à elle. Ce sera intenable ! Prise entre un père qui se prend maintenant pour une personnalité – car il l'a obtenue, sa foutue merdaille de Francisque, et il n'en est pas peu fier, ce vieux crabe ! – et un mari en taule, il faudra bien qu'elle dise à ce moment-là de quel côté elle penche ! Alors ? Tu vois, je ne veux pas la mettre dans l'obligation de me rejoindre en prison si elle avoue savoir tout de mes activités clandestines, ni dans celle de me trahir en se rangeant du côté des autres, en se lavant les mains de mon sort. Tandis qu'avec le choix que j'ai fait, tout devient très simple. A compter d'aujourd'hui, elle peut dire, sans mentir, qu'elle ignore tout, non seulement de mes activités mais encore de l'endroit où j'habite. Désormais, et aussi longtemps que je prendrai des risques, elle n'aura pas à en pâtir, enfin sauf de quelque temps de séparation... "

« C'est alors que je lui ai dit qu'il n'avait pas le droit de la quitter à deux mois de son accouchement, que c'était une mauvaise action. " Eh bien, je l'assume, m'a-t-il dit, et il m'est indifférent de passer pour un salaud aux yeux des ordures qui poussent les femmes à se jeter par la fenêtre avec leurs gosses! Je n'ai que faire de l'opinion des pourris qui raflent des gamins sachant à peine marcher! Et je me fous aussi de ce que peuvent penser de moi tous les témoins passifs, ces cloportes, qui savent, mais se taisent! Car ils savent, ces infects couards! Ils savent mais ne font rien, abrités qu'ils sont derrière la Francisque! Eh bien, je dénie à tous ces immondes le droit de me juger! Moi, d'abord, je veux offrir autre chose que ce régime de brutes à mon fils! Je ne veux pas qu'il connaisse et pâtisse à son tour de ces horreurs! Et, un jour, je veux aussi pouvoir lui dire que je ne suis pas resté mains dans les poches et en fermant les yeux à attendre que ça se tasse! Parce que, crois-moi, les enfants de demain, ceux d'après-guerre, poseront des questions et ils auront raison! J'aurais bonne mine de répondre : Oui, oui, j'étais là pour aider ta mère à accoucher; tout s'est très bien passé et tu étais un très beau bébé. Mais pour les autres gamins, ceux qui ont éclaté sur le trottoir, qu'est-ce que je fais? L'impasse? J'élude tout ça? Je change de sujet? Je n'ai rien vu, rien entendu, je n'étais pas au courant? Non, mon vieux, je ne pourrai jamais me glisser dans cette peau de menteur et de lâche! Et puis, au sujet de Paulette, ne dramatisons pas, elle n'a pas besoin de moi pour accoucher. D'ailleurs, dès ce soir et comme tu t'en doutes, elle est de nouveau sous la coupe de ses parents; mais s'en est-elle jamais libérée? »

« " Mais le bébé! Ton bébé! Il a besoin d'un père!

ai-je essayé. – Il l'aura ; la guerre ne va pas durer des années de plus, l'an prochain tout est réglé ! – Et tu crois que Paulette et toi pourrez ensuite... – Mais oui. On tirera un trait. Elle sur son choix actuel, moi sur le mien, et on n'en parlera plus ! " décida-t-il.

« Voyez, au risque de vous choquer encore davantage, je ne suis pas certain que votre père était tout à fait sûr de cette dernière prévision. Mais il avait choisi et essayait de se rassurer, et sans doute aussi de se consoler. Mais ça ne m'a pas empêché d'insister encore et de tenter de derniers efforts pour le faire changer d'avis ; ou du moins de lui faire adopter une attitude moins tranchée, moins irrémédiable.

« " Ne te fatigue pas, me dit-il, je ne reviendrai pas en arrière. On n'a jamais vu une cuvée mise en bouteille retourner au pressoir. Alors ne perds pas ton temps avec moi. D'ailleurs, autant que tu le saches, j'ai recommandé à Paulette de bien dire et de proclamer à qui voudra l'entendre et surtout à ma chamelle de belle-mère – excusez-moi, c'était votre grand-mère, mais je cite votre père ! – que j'ai abandonné le domicile conjugal et qu'elle ignore ce que je fais et où je suis. Et je lui ai même suggéré de dire que j'étais parti courir la gueuse ! Quant à moi, j'ai pris mes dispositions, je ne reviendrai pas à l'appartement de la rue Montorgueil. J'ai déjà loué une grande mansarde rue Manin, elle donne sur le parc des Buttes-Chaumont ; c'est très chouette, tu pourras y loger quand tu viendras à Paris. "

« Je lui demandai alors comment votre mère allait

subsister, mais il avait pensé à tout : " Ne t'inquiète pas, dit-il, je lui ai laissé de quoi vivre pour au moins une année, et d'ici là, avec les Russes et les Américains dans le coup, la guerre sera finie, les boches sont foutus ! "

« Je lui fis remarquer qu'il affichait un optimisme que même nous, les résistants, n'osions cultiver : il est vrai que la Gestapo resserrait son emprise et frappait fort, très fort...

« " Admettons, dit-il, mais même si la guerre dure un peu plus d'un an, Paulette a de quoi vivre. N'oublie pas qu'elle est fille unique et qu'elle n'a toujours pas touché à sa dot. Et puis quoi, rien ne m'empêchera de lui expédier une enveloppe, si besoin est ! "

« Je compris alors qu'il avait tout prévu et que personne n'était de taille à le faire revenir sur sa décision. D'ailleurs, qui aurait pu l'influencer dès l'instant où, son choix arrêté, il avait été capable de rompre tout lien avec votre mère ? Une semaine plus tard, je lui annonçai qu'il était désormais des nôtres. Et à compter de ce jour, croyez-moi, la Gestapo n'eut de cesse d'avoir mis fin aux activités terroristes de votre père, alias Pierre Juillac, alias Valparaiso...

Jean dut comprendre que j'avais du mal à assimiler tout ce qu'il venait de m'apprendre ; alors, se relevant, il se campa devant le feu et garda le silence.

Il venait de me révéler un point que je m'en voulais maintenant de n'avoir jamais imaginé et qui, pourtant, expliquait tous les silences, ou du moins le laconisme auquel je m'étais heurté, enfant, lorsque j'avais interrogé ma mère. Comment, en effet, aurait-elle pu m'expliquer la décision de mon père, pour le moins déconcertante, mais aussi sa propre attitude qui, à mon regret, n'était pas de celles dont on peut se glorifier.

Car, même en lui cherchant toutes les excuses du monde, et j'étais prêt à le faire, entre mon père – prosélyte de la Résistance et décidé à rattraper le temps perdu – et la petite vie bourgeoise et passive qu'elle menait, elle avait opté pour cette dernière : une existence sans histoire et surtout sans engagement réel, que nul n'aurait pu lui reprocher en temps de paix, mais qui, presque quarante ans plus tard, et vu la suite des événements, pouvait difficilement passer pour exemplaire ; elle était tout au plus banale. Surtout banale car, à en croire Jean, et aussi tout ce que j'avais pu apprendre sur les années 40, ce n'était pas le choix de ma mère qui sortait de l'ordinaire, mais celui de mon père.

Malgré cela, et parce que la solution qu'il avait choisie – et qui était discutable – lui avait coûté la vie, je la trouvais plus excusable que celle de ma mère. Excusable, mais sans plus, car je ne pouvais oublier que sa terrible détermination l'avait conduit à abandonner ma mère. Et que toutes les belles raisons du monde n'enlevaient rien au fait que celle-ci s'était retrouvée seule à deux mois de ma naissance, et seule encore après elle. Cela, je devais y penser.

Mais je devais aussi me souvenir du long et sûrement dramatique cheminement que mon père avait suivi avant d'en arriver à se séparer d'une femme qu'il adorait, d'après ce qu'assurait Jean. C'était à la fois très logique et totalement incompréhensible. Logique si on se référait uniquement à cette notion de sécurité qu'il avait invoquée ; non seulement elle le justifiait, mais lui donnait une incontestable dimension héroïque. Mais elle était aussi incompréhensible car, malgré mes efforts, je n'arrivais pas à m'expliquer comment deux êtres qui s'aimaient – et tout me portait à le croire – avaient pu agir ainsi, d'un commun accord. Exactement comme s'ils avaient jugé plus simple, au lieu de chercher à se comprendre, à se convaincre, de clore tout dialogue, toute discussion.

Et plus je réfléchissais à cette ahurissante situation, plus j'imaginais toutes les possibilités qu'avaient eues mes parents pour la résoudre d'une façon moins dramatique. La première étant qu'ils essaient au moins de faire un pas l'un vers l'autre. Et si cela leur était trop difficile, pourquoi n'avaient-ils pas simplement choisi de ne reprendre que leur liberté d'opinion – voire même d'action ? Que diable ! en ces années de démence, il avait bien dû se trouver d'autres couples que séparaient une Francisque ou une croix de Lorraine et qui s'étaient pourtant révélés capables de s'en sortir sans pour autant tout casser, tout briser !

– N'oubliez quand même pas que c'est votre père qui a, en quelque sorte, rompu la trêve que vos parents avaient établie, murmura Jean comme s'il venait de deviner mes pensées, et surtout mon embarras.

— Je n'oublie rien, mais... je crois que je ne comprends rien non plus!

— A quoi! demanda-t-il en me faisant face.

— A cette sorte de... de divorce que mon père a instauré alors que rien ne l'y obligeait, sauf, bien entendu, s'il détestait ma mère, mais vous m'avez dit que...

— Qu'ils s'adoraient. C'était vrai et réciproque.

— Alors, je comprends encore moins. Après tout, il n'était pas obligé de dire à ma mère qu'il faisait de la résistance!

— Lui, si! En se taisant, il aurait eu le sentiment de la tromper et ce n'était pas dans sa morale. D'ailleurs, savez-vous ce que vous feriez en pareil cas?

— Non, pas la moindre idée. Mais je vous jure que je ne me séparerais pas de ma femme!

— Oui, murmura Jean, c'est généralement ce qu'on dit en période de paix. En ces temps-là, et c'est heureux, on oublie les risques de la prison, les abominations de la torture, l'horreur des camps, toutes ces monstruosités qui font paraître la mort comme une délivrance, surtout si elle est rapide... Mais nous, en 42, on était obligés de penser à tout cela, et tout le temps! N'oubliez pas les otages, dont on apprenait l'exécution, comme ça, je dirais presque banalement, par voie d'affiches. N'oubliez pas les amis, les compagnons, rencontrés la veille et arrêtés le jour même, presque sous vos yeux, et que l'on imaginait entre les mains des autres... N'oubliez pas la haine qui gonflait de jour en jour! Et enfin, n'oubliez pas qu'on vivait avec la trouille au ventre. Alors, plus on aimait quelqu'un, plus on craignait pour lui! Aussi, mieux valait être célibataire et libre de toute attache : c'est ce qu'a pensé votre père.

— Peut-être...

— Mais si! Croyez-moi. Vous savez, il était déjà assez malheureux de n'avoir pu convaincre votre mère de la justesse de la Résistance; pour lui, c'était un échec. Alors, pour ne pas avoir à le ruminer chaque jour dans un face-à-face avec votre mère et, je le redis, pour ne la compromettre en rien et en aucune façon, il a rompu tous les ponts avec elle.

— Même au point de ne plus jamais parler d'elle, et même de moi? Même au point de n'en rien dire à personne, y compris à la fin de ses jours à Dachau?

— Oui. Je suis sûr que, même là-bas, il se méfiait encore, et il avait raison. Pourquoi aurait-il été raconter sa vie à ce prêtre dont vous m'avez parlé et qu'il connaissait à peine? Je crois que vous sous-estimez le creuset que furent pour lui les interrogatoires. On sait qu'ils furent terribles, épouvantables, répétés. Il a tout subi sans dire un mot, tout! Il a fait du silence une habitude, un principe, et même à Dachau, et à l'agonie, il a continué à se taire, par principe. Un jour, il avait choisi sa voie, et ni votre mère ni vous n'en faisiez partie, pour toutes les raisons dont je vous ai parlé. Cette direction prise, il a mis son point d'honneur à la suivre jusqu'à son dernier souffle. Votre père n'était pas un homme de compromissions...

— C'est le moins qu'on puisse dire.

— Et je crois aussi que vous n'avez peut-être pas bien retenu ce que je vous ai dit cet après-midi : votre père était très militariste, au sens idéaliste du terme. Il aurait fait un magnifique saint-cyrien. Vous savez, ceux de la haute époque, ceux qui, en 40, en pleine débâcle et après avoir revêtu leur tenue numéro un et leurs gants blancs, ont eu à cœur de s'offrir quelques Camerone perdus d'avance ! Devenu clandestin, et non militaire, il a estimé que la seule façon d'agir dignement et efficacement l'obligeait à couper dans le vif. Il l'a fait.

— Oui, mais très durement. Et pour lui, et pour ma mère... enfin, elle et moi...

— Sans doute, mais le lui reprochez-vous ?

— Ce serait très mal venu, et puis, c'est si loin ! Non, moi, ce que je demande, c'est savoir, et si possible comprendre. Mais surtout savoir. La compréhension viendra peut-être plus tard, quand j'aurai décanté tout ce que je viens d'entendre, quand j'aurai admis que mes parents aient pu vivre, un temps, du mauvais côté et s'en satisfaire. Un côté que mon père abandonna et où ma mère se complut. Mais qui sait, peut-être lui manqua-t-il le spectacle d'une rafle, d'un regard d'enfant apeuré ? D'ailleurs, sans cela, qu'aurait fait mon père ?

— La même chose, peut-être pas dans les mêmes temps, mais la même chose.

— Vous avez sûrement raison. D'ailleurs, à quoi bon lever des hypothèses absurdes! Les faits sont là, je comprends désormais la réponse de ma mère. A un détail près : je sais pourquoi et comment est mort mon père, mais j'ignore tout de ce que fut sa résistance une fois sa décision prise.

— Elle fut efficace, vraiment efficace et, par certains côtés, terrible, dit Jean en contemplant distraitement le verre vide qu'il tenait à la main.

Il le posa sur le linteau de pierre de la cheminée et s'assit :

— Oui, reprit-il, votre père estimait avoir perdu beaucoup de temps et s'en voulait. Alors il a cherché à se rattraper et s'est lancé dans une sorte de compétition tout à fait époustouflante.

« En premier lieu, et toujours pour ne pas gêner votre mère, il a demandé et obtenu un jeu de faux papiers que Michèle lui peaufina dans les moindres détails, un chef-d'œuvre! Grâce à cela, il y eut toujours, mais suivant les circonstances, un Adrien Leyrac, négociant en vins et spiritueux, homme calme, au professionnalisme reconnu par tous et au pétainisme conforme aux mœurs de l'époque, c'est-à-dire évolutif au fil de l'avance alliée. Et tout ce qu'on aurait pu reprocher à cet honnête citoyen, c'était d'avoir abandonné le domicile conjugal, mais comme on ne lui connaissait pas de liaison...

« Le deuxième homme était beaucoup plus redoutable. Ses papiers étaient au nom de Pierre Juillac et il était censé être inspecteur d'assurances, comme le prouvait d'ailleurs sa serviette bourrée de dossiers. Mais le fait qu'il s'y égarât assez souvent un pain de plastic ou de TNT ne relevait pas du hasard...

— Vous êtes en train de me dire que mon père était dynamiteur ? coupai-je, car jamais une telle hypothèse ne m'avait effleuré.

J'avais en mémoire, grâce aux photos que possédait ma mère et dont j'avais hérité, l'image d'un homme jeune, aux traits agréables, ouverts, séduisants aussi ; d'un homme qui semblait posé, calme et à peu près aussi apte à manier les explosifs que je l'étais à faire du point de croix ! Aussi insistai-je :

— Non, mais c'est vrai ? Il posait des bombes ?

— Oui, mais pas au début. Je veux dire : pas pendant les premiers mois qui suivirent son entrée dans le mouvement. D'ailleurs, en août 42, nous n'avions pas encore beaucoup de moyens, ni d'armes. Certes on se faisait la main en sabotant ce qui pouvait l'être, mais on était encore loin des grands feux d'artifice. C'est avec la loi de septembre 42 sur le STO et surtout l'invasion de la zone Sud, le 11 novembre, que tous les réseaux de Résistance et les maquis ont pris l'ampleur et l'efficacité qu'on leur connaît.

« En ce qui concerne votre père, il s'est d'abord rendu utile comme agent de liaison ; je veux dire par là qu'il m'a assez souvent remplacé. Il est vrai qu'ici, comme je vous l'ai dit, il y avait fréquemment des gens qu'il fallait cacher. Votre père a aussi été un excellent convoyeur de journaux clandestins, et c'était risqué. Et puis, vers la fin 42, il a estimé que ses classes étaient faites et qu'il devait passer aux choses sérieuses, c'est-à-dire au sabotage. C'est dès cette époque qu'on l'a surtout connu sous le nom de Valparaiso.

— Nous y voilà, dis-je; l'autre jour, j'ai dû expliquer à l'abbé Lebrun le pourquoi de ce surnom; mais il est vrai que ce brave homme ne pouvait connaître nos attaches familiales avec le Chili.

— Votre explication était la bonne, mais peut-être incomplète, sourit Jean. Il va de soi que c'était bien parce que votre grand-père était né là-bas que votre père opta pour Valparaiso, mais pourquoi cette ville plutôt que Santiago? C'est très simple. C'est après avoir appris de l'un des nôtres – lui-même formé à Londres – le maniement des explosifs que votre père m'annonça un soir : " Comme négociant en vins, je reste Adrien Leyrac; comme agent de liaison, je suis toujours Pierre Juillac; mais, comme je ne veux pas mélanger les genres, pour le reste je serai Valparaiso ! "

« Et comme je ne comprenais pas assez vite son choix, il éclata de rire et m'expliqua : " Tu ne te souviens pas de ce que nous racontait mon père quand nous étions gamins? D'abord qu'il est né là-bas et qu'il a connu le Chili à une époque où Panamá n'était pas encore ouvert... Ça ne te rappelle rien ? " C'est alors que m'est revenu en mémoire ce que votre grand-père nous disait, à savoir que les marins arrivaient à Valparaiso après des mois de traversée et de dangers : le cap Horn n'était tendre pour personne! Alors, une fois à terre, et c'était son expression, ils faisaient une bombe terrible! Et nous, gamins, nous ne comprenions pas ce qu'était cette bombe et nous nous représentions les marins en train de faire sauter de véritables pétards, comme nous au feu de la Saint-Jean ou au 14 juillet!

« " Eh oui, m'expliqua votre père, ma traversée a été longue, elle aussi, alors maintenant je vais à mon tour faire la bombe, comme à Valparaiso, dans le temps... "

– Et ça consistait en quoi? insistai-je, car j'avais toujours du mal à voir mon père à l'aise dans ce genre d'activité. Non que celle-ci me parût en quoi que ce soit condamnable – on fait la guerre ou on s'y refuse, mais, si on la fait, autant y mettre le plus d'efficacité possible –, mais parce que le très vague portrait que ma mère m'avait tracé de lui était à mille lieues de la réalité. En fait, sans doute à cause de sa terrible phrase, gravée en moi, j'avais fini par penser que mon père était certes mort, héroïquement, pour faits de résistance, mais d'une résistance discrète, besogneuse, obscure presque, et en tout cas plus cérébrale que manuelle. Et je n'étais même pas loin de penser qu'il s'était sans doute fait prendre un peu bêtement, par manque d'entraînement, comme se font emporter par une lame les mauvais nageurs qui se hasardent sur une plage dangereuse. Ainsi, je ne m'étais jamais représenté mon père les armes à la main, et voilà qu'on me l'annonçait artificier!

— Ses activités..., dit Jean. D'abord, il s'est quelque peu fait la main en plastiquant les boîtes aux lettres, les vitrines et quelques véhicules des collaborateurs notoires, qu'ils soient de Bordeaux, et nous n'en manquions pas, ou d'ailleurs, et il n'en manquait pas non plus! Mais j'espère que je ne vous apprends rien? Dans un premier temps, il a bien fallu faire comprendre à certains Français qu'ils se trompaient de camp et qu'on ne pouvait impunément servir les occupants.

— Alors, si je vous entends bien, dis-je en plaisantant, il aurait très bien pu faire sauter la boîte aux lettres et la voiture de mes grands-parents?

— Vous avez raison de le prendre comme ça, s'esclaffa Jean dans un fou rire, parce qu'il l'a réellement fait! Les deux! La boîte aux lettres et la fameuse traction avant! Faut comprendre, balbutiat-il en essuyant ses yeux pleins de larmes tant il riait, votre père ne pardonnait pas sa Francisque à votre grand-père! Alors une nuit, pendant que votre mère et vous étiez à Royan et que vos grands-parents étaient à Paris, boum! Excusez-moi si j'en ris encore, mais votre père était tellement content de son coup que c'en était un bonheur! : " Avec ça, ils devraient se calmer! m'a-t-il dit. D'ailleurs, je m'excuserai, après guerre, et puis je leur offrirai une autre voiture, encore plus belle, mais ce sera une américaine, pour les faire un peu bisquer! " Il était comme ça, votre père! De toute façon, ce genre d'expédition ne faisait que des dégâts matériels.

— D'accord. Mais pensez-vous que ma mère ait fait le rapprochement ?

— Ah ça, qui pourrait le dire ! murmura Jean en redevenant soudain très sérieux. Vous savez, une seule chose est certaine et elle est tout à l'honneur de votre mère : quoi qu'elle ait pu savoir, comprendre ou deviner, jamais, par la suite, elle n'a voulu tirer parti du sacrifice de votre père, jamais ! Dieu sait pourtant si elle aurait pu ! Mais je crois que, elle aussi, est allée jusqu'au bout de son choix. Et, même après avoir compris qu'il était mauvais, elle n'a pas cherché à le gommer en s'abritant à l'ombre du grand résistant qu'avait été son époux.

— J'en sais quelque chose, dis-je. Et je me tus aussitôt, car il me paraissait indécent, vis-à-vis de mon hôte que je sentais encore tout attendri en évoquant le souvenir de ma mère, de poser les questions qui me brûlaient les lèvres : Ma mère s'était-elle tue par pudeur — comme pour se faire définitivement oublier — ou, au contraire, son silence était-il si lourd parce que chargé de rancune ? S'était-elle jamais pardonné son erreur et avait-elle jamais pardonné à mon père d'avoir choisi une voie où elle ne voulait pas le suivre ? C'étaient là des interrogations trop personnelles, trop intimes et familiales pour que je puisse les formuler. Moi seul devrais les résoudre, un jour, peut-être...

— Et à part faire peur à mes grands-parents, en quoi consistait son travail ? demandai-je enfin.

— Votre père est passé au vrai sabotage, le sévère,

210

l'efficace, le sanglant parfois. Nous avions un certain nombre de cheminots dans notre mouvement ; ils étaient très bien placés pour savoir ce que transportaient les trains. Très bien placés aussi pour indiquer à quel endroit et à quel moment faire sauter un transformateur, un aiguillage, un pont. Une fois l'objectif désigné et son approche étudiée, votre père faisait le reste. Et son efficacité devint très vite légendaire. Aussi, quand on disait : « Valparaiso s'en chargera », c'était chose faite...

11

— Si vous n'avez pas plus sommeil que moi, continuons jusqu'au bout, proposa Jean après avoir regardé sa montre.

Il était maintenant plus d'une heure du matin, mais l'idée de rejoindre mon lit ne m'effleurait pas. Comme venait de le dire mon hôte, autant aller jusqu'au bout de l'aventure. Pour moi, elle était passionnante, exaltante parfois, émouvante aussi. Mais souvent déconcertante, encore toute jalonnée de points d'interrogation, d'hypothèses, de toutes ces questions qui germaient déjà en moi et que je savais être le seul à pouvoir résoudre, ou tout du moins tenter...

— J'aimerais bien tout savoir, dis-je, mais je serais désolé de vous empêcher de dormir ; alors, si vous pensez qu'on aura le temps de parler demain matin, avant mon départ...

— Pour ce qui est de dormir, je vous ai déjà répondu tout à l'heure ; je n'ai pas changé d'avis. Revenons plutôt à votre père, d'accord ?

– Tout à fait.

– Comme je vous l'ai dit, il est très vite devenu un spécialiste du sabotage. Mais n'allez pas croire qu'il ne faisait que ça! Vous croyez à l'astrologie? Moi, pas du tout, mais vous?

– Pour être franc, non, ça me semble complètement fantaisiste, dis-je sans oser avouer que sa question me paraissait tout autant farfelue.

– Je partage votre point de vue. Si je vous ai demandé ça, c'est pour tenter de vous faire comprendre à quel point votre père était capable de conduire plusieurs jeux à la fois : un véritable organiste, un artiste! D'après une de mes très vieilles amies, une voisine que votre père a connue, et qui est passionnée d'astrologie et de tous ces trucs idiots avec des planètes qui se baladent et des signes du zodiaque dont j'oublie toujours les deux tiers des noms, votre père était Gémeaux. Il était donc tout à fait normal, selon mon amie, qu'il excelle dans des rôles aussi différents que celui de négociant en vins et de saboteur!

« Blague à part, il ne faut pas s'y tromper : nul n'a jamais pu avoir le moindre soupçon sur Adrien Leyrac; la vie de cet homme était d'une transparence telle que je suis certain que tous ses voisins, si la Gestapo les avait questionnés, auraient répondu que M. Leyrac était un modèle d'excellent Français, respectueux des lois, des tickets de rationnement, du couvre-feu et du Maréchal!

« Et puis il y avait Pierre Juillac, très distingué inspecteur d'assurances, que beaucoup des nôtres,

213

j'entends des résistants, tenaient pour un sympathique agent de liaison, mais sans plus. Et je suis certain que beaucoup tombèrent des nues lorsqu'ils
apprirent, après la guerre, qu'il était aussi Valparaiso! Ce dernier agissait avec une telle prudence, un
tel sens de la discrétion, que peu d'entre nous
connaissaient son activité de saboteur. Et c'est sûrement grâce à ce don qui lui permettait de changer de
peau avec une aisance inouïe qu'il put échapper à la
Gestapo pendant si longtemps. Mais si! Ne me
regardez pas avec cet air scandalisé, il a tenu très
longtemps!

— Et vous, alors?

— Moi? Je suis un miraculé! En bonne logique,
j'aurais dû me faire ramasser avant votre père. En
43, de toute façon. Pour nous, ce fut une année terrible. La chance a voulu que personne ne me dénonce
jamais, ce qui ne fut pas le cas pour votre père, et que
mes faux papiers soient si parfaits qu'ils me per-
mirent de sortir indemne de tous les contrôles d'identité, et ils ne manquaient pas à l'époque dans les
gares et dans les trains entre Paris et Bordeaux!
Mais surtout, je le redis, aucun mouchard n'a jamais
donné mon vrai nom ni surtout l'adresse du domaine,
parce que, autrement... Et jamais votre père n'aurait
été pris sans la trahison d'un salaud.

« Il était génial en clandestinité, malin, fin et
prudent comme l'excellent chasseur qu'il était, avec
un sens époustouflant du cheminement de l'adver-
saire, allant jusqu'à se glisser dans la peau des gens

214

de la Gestapo pour tenter de savoir comment, à leur place, ils agiraient pour le piéger. Avec lui, les rendez-vous étaient toujours soigneusement préparés et très étudiés. Et j'ajoute que ce genre de précaution était rare à l'époque. Oui, beaucoup des nôtres tombèrent par imprudence, ou inconscience; certains même mirent leur point d'honneur à afficher une sorte de forfanterie, un panache mal placé; ils le payèrent de leur vie.

« Mais chez votre père la plus grande prudence était de mise. Il avait instauré tout un tas de pratiques qui permettaient de savoir, au premier coup d'œil, si votre contact était libre de ses mouvements, ou suivi, ou surveillé. Si les lieux étaient sûrs, la voie sans danger. Et c'étaient soit un journal, une pochette, un béret ou, pour les femmes, un bouquet de fleurs, voire, à la fenêtre d'un appartement, une chemise séchant au vent, qui, suivant les cas et les directives, donnaient le feu vert ou rouge. Et c'est grâce à cette défiance, mais aussi à ce don qu'il cultivait et qui lui permettait de changer de personnalité, qu'il put tenir le coup jusqu'au 21 décembre 43. Beaucoup des nôtres, et parmi les meilleurs, étaient déjà tombés depuis le début de l'année, beaucoup!

— Et vous avez appris quelque chose sur la façon dont il s'est fait prendre?

— Oui, ses voisins me l'ont expliqué, à la Libération. La Gestapo l'a cueilli au petit matin, dans cette mansarde dont je vous ai parlé, rue Manin; là, ils ont arrêté Adrien Leyrac. Mais, pour bien comprendre, il faut que vous sachiez qu'il avait deux domiciles, celui où il s'est fait ramasser et un autre, rue Picpus. C'était une chambre de bonne où Adrien Leyrac se transformait en Pierre Juillac. Je pense aussi qu'il y dissimulait ses faux papiers et tout ce qui avait trait à son activité clandestine, tracts, journaux, et peut-être même détonateurs, plastic et armes. Mais je lève une simple hypothèse, car même la Gestapo n'a rien découvert lors des fouilles qui suivirent son arrestation, c'est dire! Qui saura jamais quelle cachette il avait inventée!

« Malheureusement, mais il ne put sans doute pas faire autrement, c'est là qu'il abrita pour une nuit l'un des nôtres, de passage à Paris, dont la chambre était sous surveillance et qui ne savait où dormir. C'est ce pauvre bougre qui, le lendemain soir, retour à Bordeaux, rencontrant celui qui avait infiltré le groupe, eut la sottise de lui dire où il avait dormi la veille, en l'occurrence chez Pierre Juillac. Il ne connaissait votre père que sous ce nom...

« Vous voyez la suite ? Ou plutôt non, vous ne pouvez pas la connaître plus que nous car jamais nous n'avons su exactement comment la Gestapo avait fait le rapprochement entre le locataire de la rue Picpus et celui de la rue Manin. Sans doute se sont-ils mis en embuscade, l'ont repéré et suivi. Et sans doute aussi n'étaient-ils pas tout à fait sûrs d'eux, car, heureusement, l'ordure qui nous trahissait n'avait jamais rencontré votre père. Moi, il ne m'avait vu que deux fois, en pleine forêt, à vingt kilomètres d'ici et par

216

une nuit d'encre. A quoi tient la vie... Mais au sujet
de votre père, il ne savait même pas que Pierre Juillac et Valparaiso ne faisaient qu'un. L'eût-il su, votre
père ne serait pas mort à Dachau, mais fusillé au
mont Valérien...

— Et qui a trahi?

— Oh! comme souvent, un brave garçon qui nous
avait fait le coup du sentiment; ça marche, même
pendant la guerre! C'était un jeune Espagnol qui se
disait républicain, farouche antifasciste, donc persé-
cuté par Franco et sa police; bref, l'histoire banale du
réfugié politique, mais c'est toujours celle qu'on gobe
le plus facilement. Heureusement, nous l'avions en
quelque sorte mis à l'essai, et il ne connaissait pas
tout le monde; autrement...

— Et vous avez tout de suite su que c'était lui, le
mouchard?

— Oui. On l'a suivi et il s'est trahi en se rendant,
en pleine journée, au siège de la Gestapo de Bordeaux.

— Et alors?

— Il est mort très discrètement, de trois balles de
9 mm dans le crâne, au soir de la Saint-Sylvestre
1943, quai de la Monnaie, à Bordeaux. Il y avait
beaucoup de brouillard...

Pendant quelques instants, seul le chant du feu
meubla le silence, et c'est à mi-voix, car très conscient
et gêné de briser la méditation de mon hôte, que je
murmurai :

— Et vous n'avez rien su de plus sur son arrestation ?

— Sur l'arrestation elle-même, non. Mais sur le lendemain, oui. J'ai appris ce qui s'était passé, grâce à Brigitte, une belle et gentille fille, très efficace, à qui votre père a sauvé la vie. Elle était encore toute bouleversée lorsque je l'ai vue, trois semaines plus tard. Oui, ce 22 décembre — et je vous le raconte tel que me l'a dit Brigitte — elle et une de ses compagnes du réseau avaient rendez-vous avec votre père à la terrasse des Deux-Magots.

« Brigitte et votre père s'étaient déjà plusieurs fois rencontrés en d'autres lieux ; dès la première fois, début novembre je crois, votre père lui avait dit en lui montrant son écharpe bleue : " Vu la saison, si vous me voyez un jour arriver sans ce cache-nez, ou même sans que je l'ai noué autour du cou, ne bougez pas, ne me reconnaissez pas, ne faites rien, sauf prévenir tous les autres que je suis pris. " Vous voyez, ça confirme ce que je vous expliquais tout à l'heure. Alors, m'a raconté Brigitte : " J'étais installée depuis cinq minutes à ma table, en train de touiller mon prétendu café et un peu étonnée que mon amie ne soit pas là car elle était très ponctuelle, lorsque j'ai vu Pierre — oui, elle ne le connaissait que sous son faux nom — qui traversait le boulevard Saint-Germain. Il marchait d'un bon pas et les trois hommes qui l'entouraient auraient pu passer pour de simples promeneurs tant ils semblaient détendus, innocents même... Non seulement Pierre n'avait pas son

218

écharpe bleue, mais encore, malgré le froid, il avait laissé son manteau déboutonné, pour que je comprenne bien. Il s'est arrêté devant moi, de l'autre côté de la vitre, zébrée de larges bandes de papier collant en prévision des bombardements, à côté du kiosque à journaux. Deux de ses gardiens ont feint de s'absorber dans la contemplation de je ne sais quelle vitrine et le troisième s'est posté à l'angle du café, juste devant Saint-Germain-des-Prés. Quant à Pierre, il jouait au monsieur à qui on a ordonné de se mettre là et qui attend sans savoir quoi, bêtement, avec obéissance mais un certain ennui. A un moment, il s'est tourné vers le café, a balayé distraitement la salle du regard, m'a vue à un mètre de lui et, impassible, a porté les yeux ailleurs. En fait, je l'ai appris par la suite, la Gestapo savait qu'un rendez-vous devait avoir lieu devant le café, car mon amie, arrêtée la veille, avait parlé, mais en citant des noms fantaisistes et en taisant le lieu exact ; car ce n'était pas à l'extérieur, mais bien dans l'établissement que nous avions rendez-vous. Alors, ne me connaissant pas et n'ayant à ce moment-là que des soupçons sur Pierre, ces messieurs de la Gestapo avaient tenté le coup en espérant que je m'avancerais vers lui. C'était classique et ça a souvent marché... Ce matin-là, ils ont dû comprendre que rien ne se passerait, ou alors ils avaient très froid, car, à peine un quart d'heure après leur arrivée, ils se sont soudain jetés sur Pierre, lui ont passé les menottes et l'ont poussé dans la traction avant noire qui venait de s'arrêter devant le café. J'ai très bien vu Pierre, juste avant que la portière ne claque, il souriait. »

— Voilà, c'est ainsi que tout s'est passé, murmura Jean, à nouveau perdu dans ses pensées.

— Mais ensuite ? Ensuite ? insistai-je, car je ne pouvais concevoir que tout s'arrête là, que tout s'achève sur cette portière se refermant sur un sourire.

— Ensuite ? Le silence. Voilà, le vrai silence, celui que votre père opposa à tous les interrogatoires, à toutes les tortures ; entre l'avenue Foch et la rue des Saussaies, ce fut terrible. Mais il n'a rien dit, jamais, autrement tout notre groupe y passait...

— Mais vous ? Vous, qu'avez-vous fait ?

— Nous, ceux du réseau ? Nous avons appliqué la règle habituelle en cas d'arrestation de l'un des nôtres. C'est-à-dire changer ausssitôt d'adresse pour ceux qui le pouvaient, se cacher, faire le gros dos, annuler tous les rendez-vous, bref, nous faire, un temps, oublier. Et puis attendre, surtout attendre...

— Quoi ?

— De savoir si le prisonnier avait ou non tenu le coup... Même les plus solides peuvent craquer. Alors, pour nous, l'essentiel était de savoir si le, ou la, camarade tenait. S'il dépassait vingt-quatre heures, c'était déjà bien, on avait verrouillé pas mal de serrures. S'il tenait jusqu'à quarante-huit heures, on estimait que le plus gros des meubles était sauvé. Après, eh bien ma foi, on reprenait le train-train du petit résistant moyen. Mais je vous parle là du cas le plus « facile » pour nous, c'est-à-dire lorsque nous savions, presque aussitôt, qu'un des nôtres venait d'être pris. Mais lorsque nous l'ignorions, impossible d'appliquer le plan d'alerte, et c'est ainsi que beaucoup tombèrent...

— Naturellement. Mais... je m'excuse, vous qui le connaissiez bien, avez-vous craint que mon père parle ?

— Oui. En face de certains « procédés » on ne peut jurer de rien, ni de personne. Qui sait ce que je serais capable d'avouer sous la torture ? Et vous ? Qui sait ce que vous diriez ? Peut-être tout un tas de choses qu'on ne vous demandait même pas! Alors oui, comme tout le monde, j'ai redouté que votre père ne parle. Ce qui ne m'empêchait pas d'avoir confiance et de me répéter : « Non, il ne parlera pas! », mais c'était plutôt pour me rassurer. Évidemment, après quelques jours, et puisque rien ne se passait, j'ai eu la certitude qu'il se tairait, quoi qu'on lui fasse. Mais pendant les premiers jours...

— Et avez-vous averti ma mère de son arrestation ?

— Non. Et ne me jugez pas trop vite! Si je ne lui ai rien dit, c'est en plein accord avec votre père. Il m'avait fait promettre un jour de ne pas prévenir votre mère s'il était arrêté. Et, dans sa logique et son système de défense, il avait tout à fait raison : « Tu comprends, m'avait-il dit, de deux choses l'une. Ou je suis ramassé avec les papiers de Pierre Juillac, et là, pas de problème pour Paulette, je resterai Pierre Juillac quoi qu'il arrive, et c'est sous ce nom qu'ils

devront me fusiller, avec Valparaiso en prime! Mais
si je suis pris sous mon vrai nom, je n'aurai plus qu'à
nier et à nier jusqu'au bout avoir un quelconque rapport avec la Résistance. Et la seule chose que j'avoue-
rai, pour finir, c'est d'avoir plaqué mon épouse à
deux mois de son accouchement. Partant de là, qui
aurait l'idée d'aller cuisiner la femme d'un tel
salaud! Alors surtout, ne dis rien à Paulette; d'ailleurs, va savoir de quoi elle serait capable pour me
sortir de là! Ne lui dis rien, ça lui évitera bien des
ennuis et bien des soucis. Et si, par hasard, à Dieu ne
plaise, ils vont quand même lui poser quelques questions, elle n'aura ainsi aucune difficulté à tomber de
la lune ! » Voilà pourquoi je n'ai pas prévenu votre
mère.

— Quand l'a-t-elle su ?

— Très vite, et indirectement par ma faute. Oui, je
ne pouvais humainement faire moins que de faire
savoir à votre grand-père Marcellin que son fils
venait d'être pris ; lui, il avait le droit d'être au courant. Je n'ai pas pensé qu'il tenterait l'impossible
pour sortir votre père des mains de la Gestapo. Pas
pensé non plus qu'il connaissait vos autres grands-
parents et surtout votre grand-père maternel et qu'il
lui demanderait d'intervenir. Il savait qu'il était bien
placé...

— Et alors ? murmurai-je, déjà inquiet à l'idée
d'entendre l'inadmissible, l'intolérable : l'annonce
d'un refus.

— Alors ? Franchement, je ne sais pas trop...

— Vous êtes sûr de tout me dire ?

— Oui. Je ne peux vous répondre que par hypothèse, mais je penche pour celle de votre grand-père maternel essayant de sauver la mise de votre père. Je pense qu'elle est bonne en suivant un raisonnement que vous voudrez bien m'excuser, car je le trouve très cynique. Mais je crois que si votre grand-père n'a pas eu de trop gros problèmes à la Libération, malgré son attitude très collaborationniste et sa foutue Francisque, c'est bien, comme je vous l'ai dit, parce qu'il a fait référence à son gendre. Mais l'a-t-il fait en disant seulement : « Vous ne pouvez pas être trop sévère avec le beau-père d'un héros, pensez à sa veuve ! A son fils ! » Ou bien en déclarant : « Cherchez dans les archives, renseignez-vous, vous verrez que j'ai tout fait pour sauver la vie de mon gendre ! J'ai rencontré telle et telle personnalité, écrit telles lettres. Et la meilleure preuve de mon intervention, donc de ma bonne foi, c'est que les Allemands ne l'ont pas fusillé... » Voilà pourquoi je dis que je suis cynique. Mais, de toute façon, personne ne saura jamais le fin mot de l'histoire, sauf, et cela est indéniable, que votre père n'a pas été fusillé. Mais comme nous avons la certitude absolue qu'il n'a pas parlé, pourquoi les nazis auraient-ils exécuté Adrien Leyrac, négociant en vins et spiritueux, sans doute très suspect, mais quand même bon Français moyen des années 40; c'est-à-dire pas tout à fait assez courageux pour faire de la résistance, mais pas assez pourri pour être un bon collaborateur ! alors autant l'expédier dans un camp, en attendant de savoir, à moins qu'il n'ait la bonne idée de mourir avant...

— Évidemment, on peut aussi le voir comme ça, mais cette dernière analyse ne blanchit nullement mon grand-père!

— C'est une simple hypothèse, une de plus.

— Je le prends bien comme tel, dis-je en me levant.

Il était presque deux heures du matin. Je me souviens être allé jusqu'à la fenêtre. Fait étrange, le brouillard s'était complètement dissipé et une lune presque pleine, magnifique, ruisselait sur les vignobles.

— Êtes-vous vraiment très déçu? me demanda Jean en me rejoignant. Car, si c'est le cas, ajouta-t-il, c'est que je me suis mal exprimé, que je n'ai pas su vous faire comprendre à quel point tout est moins simple, moins logique qu'on ne le voudrait. Mais la logique existe-t-elle dans la vie? Tenez, ce soir, ou plutôt hier après-midi, je vous ai dit, et c'était la logique même : « Vous ne pouvez pas partir, il va y avoir beaucoup de brouillard. » Je ne prenais aucun risque en annonçant cela puisqu'il montait déjà! Eh bien, voyez! On compte maintenant les ceps tellement il fait clair. En fait, il a suffi d'un coup de vent pour tout changer, mais qui pouvait le savoir? Alors, êtes-vous vraiment très déçu?

— Non. Et je vous l'ai déjà dit plusieurs fois depuis hier. Je ne suis pas déçu. Je suis venu pour apprendre; maintenant, grâce à vous, je sais. Il ne me reste plus qu'à essayer de comprendre certains points, mais ça, c'est mon problème.

— Comprendre quoi ?

— Pourquoi un coup de vent inattendu chasse le brouillard... Pourquoi mon père a eu besoin d'être témoin de la rafle pour choisir enfin le bon chemin; pourquoi ma mère, qui pourtant savait, en a choisi un autre. A cause de son milieu, peut-être ? De son éducation ? Qui le saura ? Mais peut-être n'y a-t-il pas de réponse et, après tout, est-ce indispensable ?

J'ai à peine dormi cette nuit-là. Couché dans la chambre qui avait été celle de mon père — il y avait d'ailleurs, sur fond de vignobles, une photo de lui, de mon grand-père Marcelin, de Jean et d'une dame qui devait être sa mère, dans un cadre vieillot accroché juste en face du lit —, j'ai longtemps médité sur tout ce que je venais d'entendre.

Je n'étais pas déçu, mais décontenancé, oui, presque orphelin de cette espèce d'image d'Épinal que j'avais brossée de mon père, au fil des ans. Enfant, je n'avais eu de cesse, malgré le peu d'éléments dont je disposais, d'en faire un être supérieur et quasi infaillible, car, pour moi, le père idéal était un homme dont je n'imaginais pas une seconde qu'il puisse se tromper, voire qu'il ait la moindre hésitation devant tel ou tel problème. En prenant de l'âge, j'avais retouché cette prestigieuse effigie, mais ses grands traits demeuraient. Ils n'étaient plus les mêmes, à cause de Jean, de ses propos dont je ne mettais pas en doute la véracité.

225

En quelques heures, il avait détruit un cliché de mon père que je savais imaginaire et peu objectif, mais auquel je m'étais habitué et que j'aimais. Confidence après confidence, il l'avait remplacé par le portrait d'un être dont je percevais l'humour, dont j'entendais le rire, dont je découvrais les doutes, les hésitations, les colères, les erreurs, les sentiments : d'un homme, tout simplement.

Mais d'un homme d'autant plus admirable et héroïque qu'il avait réussi à surmonter le doute, le scepticisme et toutes les hésitations qui, pendant des mois, l'avaient poussé à demeurer simple spectateur, passif comme un banal citoyen de cette époque; presque indifférent jusqu'à ce jour de juillet 42 où la petite Rébecca lui avait fait signe et l'avait décidé à devenir acteur, et quel acteur !

Mais encore fallait-il que je m'habitue à ce nouveau père, que je révise toutes les idées que j'avais échafaudées à son égard depuis ma plus petite enfance, les déductions que je croyais irréfutables et qui se révélaient caduques, les a priori d'une partialité bien naturelle mais indéfendable. Ce n'était pas facile, un peu douloureux même, surtout après plus de trente ans de vie commune avec un fantôme que je chérissais mais qui n'avait plus rien à voir avec celui de ma jeunesse.

Quant à ma mère, d'elle aussi il fallait que je retouche bien des traits, que je repense bien des certitudes. Avec elle plus rien n'était aussi simple que je le pensais jusque-là. Et, dans ma mémoire, si la douceur que j'éprouvais à son égard n'avait en rien changé, le regard que je portais désormais sur elle était différent, ni sévère ni critique, mais autre. Et surtout interrogatif, non sur la mère, en tous points merveilleuse et douce qu'elle avait toujours été, mais sur la femme amoureuse de mon père et qui, pourtant, ne l'avait pas suivi.

Je me suis enfin endormi au petit matin, au chant du coq.

— Tu es content au moins ? me demanda Jo, le soir même, lorsque j'eus enfin rejoint Paris.

Elle m'avait attendu, malgré l'heure tardive, et je la soupçonnais d'avoir été plus inquiète qu'elle ne l'avouait. J'avais roulé dans un affreux brouillard pendant les trois quarts de la route et, à en croire Jo, la télévision et les radios réunies n'avaient cessé de lancer des avertissements on ne peut plus alarmistes.

— Tu es très content ? insista-t-elle.

— Oui, très.

— Tu as appris tout ce que tu voulais savoir ?

— Beaucoup plus, infiniment plus, je te raconterai tout.

— Et ça, c'est quoi ? me demanda-t-elle en désignant la grosse enveloppe que je venais de poser sur la table.

— Des photos de mon père, de mes grands-parents et arrière-grands-parents, de leurs amis, de tous les gens que je viens de découvrir, de ma famille, quoi ! C'est une vraie mine de souvenirs !

227

Juste après le déjeuner, pris rapidement car je voulais partir au plus tôt, Jean m'avait tendu un gros paquet de photos : « Prenez-les, m'avait-il dit, ainsi vous connaîtrez mieux l'histoire de votre famille et de la mienne, qui fut aussi celle de votre père. Prenez-les, je suis certain que mon grand-père Martial Castagnier et votre arrière-grand-père Antoine, qui étaient comme des frères, seraient ravis de savoir que vous les possédez. Et ne vous inquiétez pas, elles sont toutes annotées ; soit par ma grand-mère Rosemonde, soit par la personne qui les expédiait de là-bas, du Chili, votre arrière-grand-mère Pauline. »

J'ai d'abord découvert, figé dans l'attitude impeccable qu'exigeaient les photographes de l'époque, un couple posant gravement devant une immense maison de style colonial, toute petite pourtant au pied des Andes. Au dos, une belle écriture appliquée précisait : « Tierra Caliente, février 1891, Antoine et moi. »

— C'est qui, moi ? ai-je demandé sans quitter la photo des yeux.

— Votre arrière-grand-mère Pauline, comme je viens de vous le dire. Mais emportez toutes ces photos, vous les regarderez chez vous, au calme, car, si vous commencez maintenant, vous ne prendrez jamais la route. Ce n'est pas que je veuille vous mettre dehors, mais... Allez, emportez toutes ces photos.

— Vous avez raison, il faut que je parte, ai-je dit en remettant les clichés dans l'enveloppe, non sans apercevoir, çà et là, des visages et des paysages inconnus et même une vue du chantier de Panamá devant lequel, au premier plan, quatre hommes posaient fièrement.

— Lui, c'était votre arrière-grand-père Antoine, m'expliqua Jean, ici, mon grand-père Martial, et là, deux inconnus, mais leur nom est marqué derrière ; de toute façon, ils ont vraiment l'air de s'entendre au mieux.

J'ai retourné le cliché et lu : « Panamá 1887, tranchée de la Culebra : Antoine Leyrac, Martial Castagnier, David O'Brien, Romain Deslieux... »

— Allez, prenez tout, a insisté Jean.

— D'accord, mais je ne veux pas vous déposséder de ces documents, ils sont trop précieux. Alors je les emporte, mais, puisque c'est mon métier, je vais en faire un autre tirage, et aussi des agrandissements, pour mon fils.

— Excellente idée, cela nous donnera l'occasion de nous revoir.

— J'y compte bien, et aussi de vous recevoir à Paris quand vous y monterez. Je ne vous remercierai jamais assez de votre accueil.

— Et moi de votre visite. Ah ! Je vous ai préparé un petit échantillonnage de quelques bons millésimes du Château Armandine, pour faire goûter à votre femme.

En fait d'échantillonnage, il avait fait déposer trente-six bouteilles dans mon coffre !

Nous nous sommes séparés comme de vieux amis, avec déjà un peu de nostalgie, mais surtout la certitude que nous avions encore beaucoup à nous dire et à nous apprendre. C'est tout naturellement que j'ai embrassé Michèle Salviac, comme je l'aurais fait avec ma mère.

— Et surtout, merci pour tout, lui ai-je dit, c'était... formidablement familial!

— Eh bien, revenez vite, avec votre femme et votre fils, a-t-elle dit. A propos, quel est son prénom? Depuis hier, vous n'avez raconté que des histoires d'hommes et vous avez oublié l'essentiel! a-t-elle plaisanté.

— Notre fils s'appelle David.

— David? Vous l'avez fait exprès? a murmuré Jean, mais non, bien sûr, vous ne pouviez pas savoir... Mais, Dieu que votre père aurait été heureux que son premier petit-fils porte le même prénom que le petit garçon, aux yeux si noirs, qui nous regardait au matin du 16 juillet 42. Ce petit garçon qui n'avait plus que dix minutes à vivre, parce qu'il se prénommait David...

— C'est un prénom qui est redevenu très à la mode, ai-je dit bêtement.

— Oui. Mais ce n'est pas un hasard et c'est quand même bon signe. Allez, bonne route surtout, et à bientôt! N'hésitez pas à revenir quand vous voudrez, avec votre femme et votre fils!

— Promis, je reviendrai avec eux. Je reviendrai, pour le plaisir, mais aussi pour faire découvrir à David des vignobles que ses ancêtres ont arpentés et une vieille maison où ils ont vécu et qui a nom Château Armandine!

12

« Et maintenant je sais; enfin, je crois savoir. Et cette geôle, infecte, et cette peur qui me noue toujours le ventre sont pour beaucoup dans cette nouvelle image de mon père que cette nuit de veille a fait naître. Déjà je comprends mieux ses attitudes, ses doutes, ses hésitations, ses choix parfois si durs, si sévères avec lui-même et avec les autres.

Je n'ai pas menti à Jean lorsque j'ai nié être déçu par mon père, mais j'ai quand même été un peu choqué d'apprendre qu'il avait attendu deux ans avant de choisir son camp.

C'est vrai, dans mon imagination d'enfant, c'est tout juste si je ne l'avais pas lancé dans la Résistance six mois avant de Gaulle! Alors, de découvrir brutalement qu'il n'en avait rien été... Mais Jean a mille fois raison, tout était tellement brouillé, compliqué! Et puis tout le monde a droit à l'hésitation et même à l'erreur, un temps; l'essentiel est de ne pas en faire une habitude.

Moi-même, je me suis trompé en acceptant de

venir ici en reportage. J'ai cru, comme beaucoup, qu'on pouvait composer avec certains principes, c'est une grave bêtise. Je me suis fourvoyé en venant dans ce pays qui tue la liberté et, comme un âne, je suis venu apporter, par ma seule présence, une caution morale à ceux qui, cette nuit, ont fait gémir de douleur ma petite voisine ; ma petite voisine que je ne connaîtrai jamais, mais dont les pleurs me hanteront.

En venant ici, j'ai agi comme tous ces bons apôtres, et j'en connais plusieurs, implacables donneurs de leçons, grands défenseurs des droits de l'homme et de la démocratie, et qui pourtant, chaque été, partaient gaiement se rôtir sur les plages espagnoles en ces temps où les prisons de Franco étaient aussi pleines et aussi meurtrières que celles de Pinochet. Je sais désormais qu'il ne faut pas se commettre avec les totalitaires, quelle que soit leur couleur, jamais, sous aucun prétexte, en aucun cas !

Mon père a mis un certain temps à le comprendre ; moi, je le pressentais depuis longtemps ; maintenant, j'en suis certain. Je me suis trompé en acceptant de faire des photos dans un pays où l'on enferme, où l'on torture, où l'on tue. Mon père s'est trompé en attendant deux ans avant de découvrir où était sa voie, mais il a fini par la trouver et c'est l'essentiel. Quant à ma mère... Alors là, comment tout comprendre ?

Autant, par le raisonnement, j'admets la décision, terrible, que prit mon père, autant je bute encore sur l'attitude de ma mère. En ce qui le concerne, les dernières heures que je viens de vivre, pour dérisoires qu'elles soient par rapport aux mois d'enfer qu'il a vécus, m'ont quand même fait entrapercevoir toute l'horreur de la prison, la perversité des interrogatoires et la terreur que cela engendre. Pour rien au monde je ne voudrais que Jo subisse cela. Alors maintenant, oui, je réalise et j'approuve même son choix et cette rupture, surhumaine, qu'il s'imposa.

En fait, il est entré en Résistance comme on entre dans les ordres, dépouillé de tout et de toute attache; tout devient alors grandiose. Ce n'est plus un choix égoïste, c'est un sacrifice. Et il l'a fait sciemment et après mûre réflexion, car il ne voulait faire courir le moindre risque à ma mère, et à moi par extension. Et peu importe que cela paraisse hors du sens commun. C'était son choix, il s'y est tenu jusqu'au bout, persuadé que c'était le bon, et rien ni personne jusqu'à ce jour n'ont prouvé qu'il était mauvais!

Sauf l'attitude de ma mère... Car enfin, comment la comprendre? Dans cette histoire, elle n'était même pas obligée d'épouser les idées de mon père. Elle pouvait, tout au plus, se taire, laisser faire et attendre. Attendre que les événements et la vie tranchent en faveur de l'un ou de l'autre. Mais, dans le fond, n'est-ce pas ce qu'elle a fait?

Ce qui brouille les cartes, et qui me gêne, c'est ce doute qu'a semé Jean en moi en laissant entendre qu'elle est toujours restée ferme sur ses idées et ses positions, et ce malgré l'évolution de la guerre, malgré ce que mon père lui avait dit, malgré ce qu'elle

233

savait. Attitude qui en soi est très respectable, mais que déflore un peu cette sorte de rancœur qu'elle semble avoir cultivée jusqu'à la fin envers son époux ; sa fameuse phrase, si souvent entendue, méditée et remâchée, venant comme l'implacable conclusion d'une rupture définitive qui, pour moi, est inadmissible, surtout après la mort de mon père. Car passe encore de s'égarer et de se complaire dans son erreur, mais pas au point d'en faire porter la responsabilité à celui qui, justement, a un jour cessé d'hésiter et a tout fait pour rattraper le temps qu'il estimait perdu.

Ou alors tout est beaucoup plus simple, beaucoup plus pur, et tout le monde s'est laissé berner, même Jean qui pourtant connaissait bien ma mère, même moi qui devrais être le dernier à douter d'elle ! Tout repose peut-être sur cette affirmation de Jean : " Et pourtant, ils s'adoraient ! " Et si tout était là, si tout reposait sur cette base inébranlable ? Et si mon père n'avait pas été le seul à savoir jouer double jeu, à changer de peau, à tromper son monde ?

Alors tout serait clair : un plan arrêté à deux et qui ne peut justement s'épanouir que dans le secret d'un couple, dans sa totale et définitive complicité. Un plan qui fonctionne si bien que nul n'en perçoit la trame. Et c'est pour ne pas trahir ce choix, ni se trahir par la même occasion, que ma mère s'enferme dans son jeu, le peaufine comme mon père le fit de son côté puisqu'il fut capable de dissimuler notre existence jusqu'à sa mort !

Alors pourquoi ma mère n'aurait-elle pas, à son tour, et par fidélité, décidé de jouer son rôle jusqu'au bout ? Et de le jouer même au risque de passer pour ce qu'elle n'était pas ? Même au risque de s'attribuer sciemment à elle-même l'envers de cette terrible phrase : " Je n'ai pas voulu faire de résistance et j'en suis moralement morte... " De le jouer aussi pour ne pas avoir à s'entendre reprocher, vu son attitude et ses opinions pendant la guerre, d'avoir senti venir le vent, tourné sa veste, trahi ses idées et récupéré l'héroïsme et le sacrifice de son conjoint !

Ils furent si nombreux en ces temps-là à brûler le lendemain ce qu'ils avaient adoré la veille ! Et si ma mère n'avait pas voulu qu'on la confondît avec tous ces vaillants pétaino-gaullistes qui, en vingt-quatre heures, et sans aucune hésitation, transformèrent la francisque en croix de Lorraine !

Hypothèse que tout cela, bien sûr, simple supposition, pour ne pas dire divagation. Mais je suis maintenant très fatigué par cette longue nuit de veille et capable d'envisager n'importe quoi.

Alors, au point où j'en suis, oui, il me plaît de penser et de croire que tout cela était le fruit d'une longue et minutieuse concertation entre mes parents. Et il me plaît de penser et de croire que ma mère a aimé mon père au point de le laisser partir seul, terriblement seul, car tel était leur plan. Qu'elle l'a aimé au point de le perdre et au point de jouer, jusqu'au bout, pour l'honneur et le souvenir, le rôle qu'il lui avait demandé de tenir, envers et contre tout. »

Christian quitta son châlit peu après cinq heures. Brisé par la fatigue, les yeux douloureux et brûlants, la bouche pâteuse, il tituba jusqu'à la fenêtre et s'y accouda. L'air frais du matin lui fit du bien et, malgré les immondes relents de latrines et d'ordures que le vent apportait, il respira à pleins poumons pour tenter de s'éveiller et de reprendre ses esprits.

· Déjà la nuit pâlissait, et les étoiles, beaucoup moins nombreuses, perdaient leur éclat, se faisaient discrètes. De l'autre côté du patio, au-delà des bâtiments, se devinait à l'horizon la masse imposante et dentelée des Andes.

« Et derrière, c'est la Bolivie et la liberté », songeat-il en retrouvant soudain toute sa hargne et sa mauvaise humeur, car déjà, effaçant tous les souvenirs qu'il avait fait vivre au cours de la nuit, lui revenait, dans toute sa brutalité, le spectacle de la petite silhouette de femme, titubante et pitoyable, encadrée par des ombres et qui disparaissait dans la nuit. L'assaillaient aussi le doute, l'inquiétude et l'incertitude que le jour nouveau faisait naître.

« Ils ne vont quand même pas pouvoir nous garder jusqu'à la fin des temps! se dit-il pour se rassurer, ça finira par se savoir qu'ils nous retiennent dans ce cachot! Ah! les salauds! » grogna-t-il en se grattant vigoureusement les côtes, irritées par d'affreuses démangeaisons.

Puis il entendit Paul, qui grognait dans son sommeil.

236

« Incroyable, il aura fait sa nuit entière; il faudra qu'il me donne son système, surtout si on doit passer une nuit de plus ici... »

Cette idée lui ébranla tellement le moral qu'il se reprocha de l'avoir envisagée. S'il voulait tenir, et il le fallait, ce n'était pas en sombrant dans le pessimisme et l'abattement qu'il y parviendrait, c'était en faisant face, en se battant.

« Mais contre qui? Si ça se trouve, l'autre petite salope de capitaine va encore nous laisser moisir ici toute la journée, sans même nous sortir de ce trou pour nous interroger! Mais peu importe, il faut faire front! Ah! si au moins je pouvais me laver, me raser! » murmura-t-il.

Il avait de plus en plus conscience du pitoyable état physique dans lequel il était. Sale, barbu, sûrement puant et couvert de vermine, son aspect, à lui seul, le mettait déjà en état d'infériorité.

« Et c'est tout ce qu'attend cette ordure galonnée! Mais il ne m'aura pas, il ne fait pas le poids! » décida-t-il en découvrant soudain à quel point sa nuit de méditation et de souvenirs, auxquels s'ajoutaient les cris entendus et la scène aperçue, l'avait fouetté, régénéré, armé même.

« Bon Dieu! Ils vont savoir ce que vaut un Leyrac! Ah! ils en cherchent deux, des cousins sans doute; je n'ai aucune envie de prendre leur place et de payer pour eux, mais ça ne va pas m'empêcher de dire ce que je pense à cette petite gouape de capitaine qui a le culot de nous retenir ici! Il faut qu'on sorte! Et on

237

sortira, et ensuite, ils m'entendront ! Je vais faire la publicité qu'il mérite à ce régime de crapules ! »

La lumière crue qui tombait du plafonnier revint à six heures et sema la panique dans l'armée de cafards et de cloportes qui grouillaient sur le sol.

Christian, toujours debout devant la fenêtre, cligna des yeux, gêné par la soudaine et violente clarté. Quant à Paul, éveillé en sursaut, il grogna, s'assit, hébété, au bord du lit, et se mit à jurer abominablement en découvrant toutes les bestioles qui, profitant de son immobilité et de sa tiédeur, avaient trouvé refuge dans sa chemise et son pantalon.

— Mais c'est pas vrai ! beugla-t-il en se secouant frénétiquement. Et toi, fais quelque chose !

— Eh ! chacun se débrouille avec ses locataires, hein ? dit Christian en vérifiant s'il n'était pas lui aussi porteur d'indésirables parasites. Il vit une sorte de gros cafard noir qui tentait de se glisser dans son pantalon, à la hauteur de la braguette, et l'écrasa entre le pouce et l'index.

— C'est pas vrai, mais c'est pas vrai ! murmura Paul qui semblait reprendre peu à peu conscience des réalités. Quelle heure est-il ? grogna-t-il en se grattant à pleins ongles.

— Six heures cinq.

— Tu as pu dormir, toi ? Moi, je n'ai pas fermé l'œil !

— Alors là, tu ne manques pas d'air ! ricana Christian, tu sais que tu es gonflé ? Tu as dormi comme un nouveau-né depuis hier soir !

— N'importe quoi ! dit Paul en se levant. Il se pencha vers le pichet, jura en voyant l'eau couverte de cafards morts. N'importe quoi ! redit-il, je t'assure que je n'ai pas pu dormir ! D'ailleurs, je suis crevé !

— D'accord, dit Christian, tu n'as pas dormi, moi non plus, on aurait pu faire la causette !

Il n'avait pas envie de discuter avec son camarade sur un sujet aussi futile. Après tout, si ça pouvait lui faire plaisir de dire qu'il n'avait pas fermé l'œil, à quoi bon le contredire ! A quoi bon, surtout, lui expliquer comment il avait lui-même meublé sa nuit, ce qu'elle avait été, ce qu'elle lui avait apporté, ce qu'il avait vu et entendu.

— Dis, tu crois que c'est pour aujourd'hui ? demanda soudain Paul, et Christian nota à quel point il avait l'air pitoyable, inquiet, presque vaincu.

— De quoi parles-tu ?

— Est-ce qu'ils vont nous relâcher aujourd'hui ? Tu le crois, dis ? Peuvent pas nous garder éternellement, dis ? Ils vont nous relâcher, hein ?

— Mais oui, soupira Christian, on peut toujours espérer, on doit toujours espérer. Ils nous relâcheront, aujourd'hui peut-être, un jour sûrement... Non, allez, je plaisante, ajouta-t-il en voyant la mine décomposée de son camarade ; on sort aujourd'hui, je le sens !

— Bon Dieu, j'ai une de ces faims ! Je boufferais un bœuf ! Tu sais ce qu'on fait, dès qu'on est dehors ?

On file à l'hôtel, je me fais couler un bain et je commande en double tout ce qui est sur la carte, tout ! Et je mange en me baignant et je me baigne en mangeant, pendant des heures ! Après...

Il s'arrêta car la serrure venait de claquer. Silencieux et presque aussi mal rasé et sale que les prisonniers, le gardien déposa un pichet de café et une gamelle de haricots noirs sur la table, fit comprendre, d'un geste et de quelques grognements, qu'il fallait balayer la cellule, et ressortit.

— Tu disais, à propos de ton bain ?... dit Christian en humant le café avec dégoût.

Le temps coula, ponctué par les interrogations de Paul qui, presque toutes les dix minutes, s'enquérait de l'avance de l'heure.

Rompu de fatigue, Christian sommeillait en luttant de toute son énergie pour ne pas sombrer dans le désespoir qu'il voyait grandir chez son compagnon.

— Je sens qu'ils ne nous relâcheront pas aujourd'hui, ni demain ! répétait Paul. Et moi je finirai par crever de faim ! Ah, les salauds, les ordures ! Mais qu'est-ce qu'on leur a fait, dis ? Qu'est-ce qu'on leur a fait ? Et toi, tu ne pouvais pas le savoir qu'il y avait des Leyrac qu'on recherche ici, hein ? Tu aurais dû le savoir !

— Tu as raison, j'aurais dû me douter que la famille Leyrac ne pouvait en aucun cas être du côté des fascistes ! Mais je ne me connaissais pas de cousins ici! Maintenant, crois-moi, je n'aurai de cesse de les avoir retrouvés!

— Pour les remercier de nous avoir mis dans la merde, peut-être?

— Non, pour les féliciter d'être ce qu'ils sont, des résistants.

— C'est ça, des résistants qui, si ça se trouve, sont planqués en Argentine, ou au Brésil, ou encore à Paris, pendant que, nous, on paie pour eux!

— Oui, ça d'accord, on s'en serait bien dispensé! Bon, il est onze heures moins le quart. Tu me laisses dormir une demi-heure maintenant?

— Je ne sais pas comment tu fais pour dormir, moi je ne peux pas, pas plus que cette nuit! assura Paul qui haussa les épaules en constatant que Christian avait déjà fermé les yeux.

La porte de la cellule s'ouvrit peu avant midi, et Christian, toujours allongé, mais bien éveillé, comprit tout de suite que la situation avait évolué. Mais rien ne prouvait que ce soit en bien, car il n'était pas du tout certain que le colonel et le civil qui entouraient le petit capitaine enquêteur soient là pour arranger les choses. D'autant qu'aucun des trois hommes n'avait l'air de bonne humeur.

— Messieurs, si vous voulez bien nous suivre..., invita le capitaine.

— Oui! Mais je tiens à protester contre cette incarcération scandaleuse! lança Paul, je suis citoyen canadien et...

241

– Plus tard, si vous le voulez bien, coupa le colonel. Allons, messieurs, venez.

Ils sortirent dans le patio inondé de soleil, et Christian nota que, contrairement à la veille, aucun soldat ne les surveillait. Malgré cela, ce ne fut pas sans appréhension ni inquiétude qu'il entra dans le bureau du capitaine. Il vit tout de suite leurs valises dans un coin de la pièce et, sur la table, leurs papiers, pellicules et photos dans plusieurs pochettes en plastique.

– Asseyez-vous, messieurs, je vous en prie, dit le colonel en s'installant dans le fauteuil où, la veille, se balançait le petit capitaine. Aimeriez-vous un whisky, ou autre chose ? proposa-t-il dès que Christian et Paul furent assis. Je suis certain que le capitaine Montt se fera un plaisir de vous l'offrir, n'est-ce pas, Montt ?

– Bien entendu, assura l'officier en ouvrant un placard. Il en sortit cinq verres et une bouteille de scotch et commença à servir.

« Qu'est-ce que c'est que ce cirque ? » pensa Christian. Il était partagé entre l'envie de croire que leur libération était toute proche et la peur panique d'être les acteurs involontaires d'une sinistre farce, d'une mascarade de procès à huis clos. Il accepta néanmoins le verre que lui tendait le capitaine, mais attendit d'en savoir un peu plus avant de boire.

– Messieurs, j'aimerais que tout soit bien clair entre nous, commença le colonel. Sachez d'abord que nous sommes navrés, si, si, vraiment navrés ! nos pays

entretiennent des rapports de plus en plus cordiaux
et il a fallu ce... malentendu – que je déplore au plus
haut point ! – pour que s'instaure cette déplorable
situation.

« Nous y voilà, calcula Christian, il va nous faire le
coup de la bavure ! »

– Bref, poursuivit le colonel, je tiens à vous dire,
au nom de mon gouvernement, à quel point nous
sommes navrés de vous avoir retenus ici depuis...
depuis trop longtemps ! En bonne logique, une petite
heure aurait dû suffire pour comprendre que vous
n'avez rien de commun avec ceux que nous cherchons. Mais l'erreur est humaine, n'est-ce pas,
Montt ?

« C'est bien ce que je craignais, ce petit salaud a
voulu faire du zèle : avec un Leyrac arrêté, il se
voyait au moins général, ce sale petit voyou de Pinochet en puissance ! » pensa Christian toujours silencieux.

– Mais alors, on est libres ? lança Paul après avoir
vidé son verre cul sec.

– Tout ce qu'il y a de plus libres, assura le colonel. Toutes vos affaires sont là, en parfait état, et
même vos photos, y compris celles de Chuquicamata,
site qui reste cependant une zone... disons qu'il est
peu recommandé d'aller photographier !

– Donc nous sommes libres ? demanda Christian
sèchement car il était soudain furieux. Mais au
moins, pouvez-vous nous expliquer pourquoi vous
nous avez arrêtés ? Et pourquoi votre sous-fifre de

capitaine Montt a cru bon de nous retenir ici ? Et a cru bon aussi d'essayer de nous intimider en tentant de nous faire croire que notre cas, surtout le mien d'ailleurs, était on ne peut plus grave ?

— Arrête! souffla Paul, on s'en va et c'est marre!

— Pars si tu veux! Moi je demande à en savoir plus; je veux avoir quelque chose de sérieux à raconter dès mon retour en France, oui, à tous mes petits copains de la presse, de toute la presse!

— Je vous assure, monsieur, c'est une lamentable erreur, insista le colonel. Il se trouve que vous portez le nom de suspects que nous recherchons activement car ce sont des opposants très déterminés. Alors soit, puisque vous voulez l'entendre, c'est une bêtise de vous avoir arrêtés, mais tout le monde peut en faire, même vous, en France!

— Gardez vos comparaisons, elles ne tiennent pas la route! lança Christian. Vous avez parlé d'opposants? Chez nous, en France, c'est presque un devoir de l'être! Chez nous, les opinions divergentes sont non seulement permises, elles sont recommandées!

— Bon, tu viens, maintenant? dit Paul en se levant.

— Votre ami a raison, dit le colonel, vous pouvez partir. Avec nos excuses, je le répète, avec toutes nos excuses, n'est-ce pas, Montt ?

— Avec toutes mes excuses, bafouilla le capitaine en baissant le nez.

— Et il faut que vous sachiez que je me porte désormais garant de votre séjour ici, intervint le civil qui n'avait toujours pas dit un mot. Voici ma carte et mon numéro de téléphone; au moindre problème, fût-il d'ordre bassement matériel — voiture en panne, hôtels inconfortables, que sais-je —, vous pouvez m'appeler à n'importe quelle heure du jour ou de la nuit. Je ferai en sorte de vous dépanner dans les plus brefs délais!

— C'est bon à savoir, dit Christian en se levant. Il ramassa tous ses papiers, ses photos et ses pellicules, puis se tourna vers le civil : « Allons, je suis sympa; autant vous éviter de veiller. Retenez-nous une place dans le prochain avion pour Paris, ou pour n'importe quelle autre ville d'Amérique ou d'ailleurs, pourvu qu'on n'y trouve pas de militaires trop zélés!

— Mais je croyais que vous étiez en reportage? dit le colonel, nous sommes tout prêts à vous aider à le réaliser dans les meilleures conditions possibles, pour nous faire pardonner, si vous voulez...

— Trop aimable, dit Christian, mais moi, je ne peux pas prendre de photos avec un accompagnateur dans le dos; ça m'agace, surtout s'il est en uniforme!

— Mon camarade a raison, approuva Paul, on ne peut pas travailler chez vous. On a eu tort de venir, mais on ne m'y reprendra pas! Et comptez sur moi pour vous faire de la pub!

— Merci, j'attendais ça, dit Christian. Alors, cet avion, à quelle heure?

— Vous en avez un qui part cet après-midi à seize heures, pour Santiago, et de là...

— De là, on se débrouillera, ne vous en faites pas!

245

— J'aimerais surtout, messieurs, que vous ne tiriez pas de conclusions trop hâtives de ce triste, de ce déplorable malentendu, insista le colonel, et je regrette vraiment, si, si, vraiment, que vous partiez si vite.

— Ce que vous regrettez surtout, je vais vous le dire, coupa Christian en reposant ses bagages et en lui faisant face. J'ai beaucoup réfléchi pendant ces heures de cellule, beaucoup! J'ai tout envisagé. Vous êtes malins, vous saviez très bien qu'un Leyrac, moi en l'occurrence, entrait chez vous avec des papiers en règle et pour y faire un reportage photo. Mais comme vous ne vivez que et par la suspicion et le mensonge, mon travail de photographe vous a paru trop simple, trop beau pour être vrai! Alors vous vous êtes dit : Ce Leyrac ne peut être qu'un complice, il vient chez nous pour rencontrer ceux que nous cherchons. Laissons-le entrer, suivons-le discrètement et il nous conduira tout droit chez ceux dont la tête est mise à prix!

— Vous affabulez complètement, monsieur, dit le colonel en haussant les épaules, mais il semblait soudain un peu gêné.

— Mais non! Et je continue! Manque de chance, un crétin de caporal, pas prévenu de votre coup tordu, nous arrête! Deuxième manque de chance, un petit capitaine ambitieux, et pas au courant non plus, fait de l'excès de zèle, nous embastille et met tout votre montage par terre! Et depuis dix minutes vous essayez de réparer la casse! Vous aimeriez tellement

246

que je prenne contact avec les autres Leyrac, ou avec leurs amis! Notez que ce n'est pas l'envie qui m'en manque, mais n'y comptez pas. Je rentre chez moi dès ce soir. Et vous pouvez demander à vos sbires de vérifier que je m'en vais bien. J'en ai assez vu, et assez entendu, surtout la nuit dernière...

— Vous vous trompez sur toute la ligne, essaya le colonel, mais vous avez toute liberté d'agir à votre guise. Nous étions prêts à vous accueillir du mieux possible pour nous faire pardonner notre bévue; vous partez, c'est votre droit, vous êtes libres!

— Vous venez de dire : « Liberté, droit et libres », et tout ça en deux phrases! Ça vous a échappé, sans doute? sourit Christian. Mais continuez comme ça, mon vieux. Vous êtes sur la bonne voie!

Il empoigna ses bagages et sortit. Dehors, le vent s'était levé. Au loin, sous un soleil de plomb, resplendissantes et pures, scintillaient les Andes.

Marcillac, 4 octobre 1993

Cet ouvrage a été réalisé par la
SOCIÉTÉ NOUVELLE FIRMIN-DIDOT
Mesnil-sur-l'Estrée
pour le compte des Éditions Laffont
en février 1994

Imprimé en France
Dépôt légal : mars 1994
N° d'édition : 35191 – N° d'impression : 25827